CW00694635

Paracelsus

Das Buch Paragranum
Septem Defensiones

Paracelsus: Das Buch Paragranum / Septem Defensiones

Das Buch Paragranum:
Entstanden 1529/30. Erstdruck: Frankfurt/M. (Christian Egenolff) 1565.
Septem Defensiones:
Entstanden 1538. Erstdruck in lateinischer Übersetzung: Argentorati (Mylius) 1566. Erste deutsche Ausgabe: Basel (Perna) 1574.

Vollständige Neuausgabe mit einer Biographie des Autors
Herausgegeben von Karl-Maria Guth
Berlin 2014

Der Text dieser Ausgabe folgt:
Theophrast Paracelsus: Werke. Herausgegeben von Will-Erich Peukert. Bd. 1-5, Darmstadt: Wissenschaftliche Buchgesellschaft, 1965.

Die Paginierung obiger Ausgaben wird hier als Marginalie zeilengenau mitgeführt.

Umschlaggestaltung von Thomas Schultz-Overhage unter Verwendung des Bildes: Paracelsus (1537), dargestellt von Quentin Massis

Gesetzt aus Minion Pro, 11 pt

Die Sammlung Hofenberg erscheint im
Verlag der Contumax GmbH & Co. KG, Berlin
Herstellung: BoD – Books on Demand, Norderstedt

Die Ausgaben der Sammlung Hofenberg basieren auf zuverlässigen Textgrundlagen. Die Seitenkonkordanz zu anerkannten Studienausgaben machen Hofenbergtexte auch in wissenschaftlichem Zusammenhang zitierfähig.

ISBN 978-3-8430-7126-0

Bibliografische Information der Deutschen Nationalbibliothek

Die Deutsche Nationalbibliothek verzeichnet diese Publikation in der Deutschen Nationalbibliografie; detaillierte bibliografische Daten sind im Internet über www.dnb.de abrufbar.

Inhalt

Das Buch Paragranum

Vorrede durch Doctorem Theophrastum

Nachdem ich aus erzwungner Not etliche Bücher in der Arznei, nämlich von den pustulius das ist Franzosen, habe ausgehen lassen, ist mir das zu Argem ausgelegt worden, das ich mit höchstem Fleiß und größter Erfahrenheit geschrieben und eröffnet, und Nutz und Guts der Kranken betrachtet habe, – aus welchem Schreiben mir eine Ursache gegeben worden ist, den Betrug und die Irrung derer, die hierin nichts verstanden haben noch können und doch alle andere hierin verachten wollen, anzuzeigen.

Nun hab ich geschrieben, (was sie zu viel heißen, heiß ich zu wenig), vom Holz (Guayako) und die drei Bücher der Imposturen (das sind eitrige Beulen), oder Verfälschungen; worüber ich wohl mit guter Wahrheit hätte ein länger Buch machen können, das habe ich in Kürze gefaßt, das meiste und viele Schande, der Doktoren Torheit und Einfalt, auch der Meister, zu vermeiden. So ich das nun kurz abgemacht habe, klagen sie, es sei zu wenig, niemand könne es verstehen. Wenn es nun zu wenig ist, so werde ich gezwungen mehr zu schreiben, und längere Bücher zu machen, weil sie beichten, ich schriebe viel zu wenig. Ich erachte, sie wollen, daß ihre Torheit und Gelehrtheit gar an den Tag komme; – dazu will ich ihnen verhelfen.

Wiewohl sie zu verstehen geben, um mit der Wahrheit an den Tag zu kommen, es sei betreffs ihrer Frommheit, Gelehrtheit und Kunst genug geschrieben, allein meiner Lehr wollen sie mehr Unterricht, – es kann aber keins vom andern geschieden werden, sondern sie müssen beide mit einander vorgenommen werden, auf daß nit eins allein, sondern beide gar wohl verstanden werden, – wiewohl ihre Meinung allein auf das eine gerichtet ist und auf das andere nit.

Daß sie es mir verargen, daß ich schreibe, geschieht aus ihrem Unverstand, denn ich habe, wie meine Schriften beweisen, nichts außerhalb des Grundes und der Erfahrenheit geschrieben. Daß sie aber über mich schreien, dessen ist die Ursach, daß ich ihnen in dem, das den Ärzten zusteht, und das sie nicht wissen noch verstehn, das Herzbändel treffe. Darum, daß ich nicht aus ihren Schulen komme und aus ihnen rede, soll es unrecht sein, dieweil mich das dazu zwingt, daß sie falsch in die Arznei hineingeleitet werden.

Weil ich nun solches soll und muß schreiben, kann ich die Wahrheit weder durch die Alten noch die Jungen bestätigen, woraus ich nun gezwungen werde, wider sie zu sein und nit mit ihnen, wenn ich anders die Wahrheit der Arznei beschreiben und vor mich nehmen will, und nicht allein die Schüler, sondern Meister und Schüler und der Meister und Schüler Lehrer insgemein zusammenkoppeln und ihnen, weil sie solche Schreier sind, vorhalten will, was die Arznei sei, und darnach, was sie sind. Denn es ist ebenso not, ihr Geschrei wie ihre Kunst aufzudecken.

Will ich nun den Grund in der Arznei beschreiben, so muß ich die Dinge vornehmen, die den Grund geben. Dadurch werde ich gezwungen, allen Grund aus der Philosophie, Astronomie und Alchemie zu setzen, ihn dort zu nehmen und darauf zu fußen. Sie aber sind nun Verächter dieser drei Fundamente, nämlich Verächter der Philosophie, Verächter der Astronomie, Verächter der Alchemie, bellen wider diese Künste wegen nichts anderem, als daß sie sie nit können und schämen sich dess'. Damit sie auf ihrem Teil mit Ehren bestehen, überreden sie den Armen, den Gemeinen, den Einfältigen, sie seien Narrenwerk und es sei nichts; und sie selbst sind Narren und Esel und nichts, gleichen den Juden und den Pharsäern, die meinten, der Himmel wäre ihr und den, dess er war, das ist Christum, verachteten sie. Also sind die Ärzte der Hohen Schulen auch, und die Bader und Scherer. Drum vergleiche ich sie den Barfüßern und Holzschuhern; die selbigen wissen nichts als schreien, schänden, lästern ohne Furcht; also sind diese Ärzte auch clamanten, das ist Schreier.

500

Nun aber, um es aus dem Grunde zu betrachten, welcher kann ein Arzt sein ohne die drei? Der da nit sei ein philosophus, ein astronomus, ein Alchemist? Keiner, sondern er muß in den drei Dingen erfahren sein, denn in ihnen steht die Wahrheit der Arznei. Was Astronomie sei, das wissen sie nicht; was Philosophie sei, das wissen sie auch nicht; was Alchemie sei, das wissen sie auch nit. Diese drei höchsten Dinge wissen sie nit, drum so müssen sie sie verachten, und deshalb, weil ich sie brauche, muß ich von ihnen verworfen werden. Mich verwarf keiner, er war denn ein gehörnter, das ist junger Bachant, – was ihr alle seid. Denn die Bachanten wissen nichts von den Dingen und ihr auch nit, darum seid ihr einander gleich. Ihr seid gemalte Ärzte, auswändig, in euern Kleidern, und inwändig seid ihr schelmige Juden, Cadaver und conterfeite Ölgötzen.

Daß ihr mich versteht, wie ich den Grund der Arznei erkenne und worauf ich bleibe, – nämlich in der Philosophie, darnach in der Astronomie und zuletzt in der Alchemie, und hört mich gar genau, denn ihr müßt auch hier hinein und darin erfahren sein, oder ihr müßt allen Bauern auf den Dörfern offenbar werden, daß ihr ohne die drei Bescheißer seid, und nichts als Betrüger der Fürsten, Herren, Städte und Länder, und daß alle die Zucht und Ehre, so euch bewiesen wird, Narren geschieht und Gleisnern und Tellerleckern. Wie ich mir aber die drei vornehme, das merkt, und anders könnt ihr es nit vor euch nehmen, sondern ihr müßt mir nach mit euerm Avicenna, Galen, Rhases usw. und ich nit euch nach; ihr mir nach, ihr von

Paris, von Montpellier, von Salerno, von Wien, von Köln, von Wittenberg und all ihr in der summa, und keiner kann ausgenommen sein, nicht im [501] hintersten Badewinkel bleiben; dess' bin ich monarcha, und ich führ die Monarchei und gürte euch noch eure Lenden.

Wie wird es euch Cornuten anstehn, daß Theophrastus wird der Fürst der Monarchie sein? Und ihr calefactores, das ist Ofenheizer? Wie dünkt es euch, wenn ihr werdet in meine Philosophie müssen und auf euern Plinius, Aristoteles scheißen werdet, auf euern Albertus, Thomas, Scotus usw. seichen werdet und werdet sprechen: die konnten schön und subtil lügen. Wie große Narren sind wir und unsere Vorderen gewese, daß sie und wir es nie gemerkt haben. Wie dünkt es euch, wenn ich euch den Himmel zurichten werde, daß (die Constellation) Drachenschwanz euern Avicenna und Galen fressen wird? Denn sie wissen nichts im Himmel, und ihr auch nichts. O, wie löblich ist das, daß ihr Narren doctores seid, und ihr Meister: Narren! Wie übel wird es euch auf den Buckel drücken, wenn ihr Ohren, sechs Ellen lang, tragen werdet, denn Johannes hat in der Apokalypse seltsamere und ungeschaffenere Tiere, als ihr seid, nie gesehen. Wie groß wird eure Schande werden, daß ihr bisher die Kranken gearzneit habt und groß Gut von ihnen genommen, und habt noch nie kochen können und habt ihnen Ungekochtes gegeben, wodurch bewiesen wird, daß ihr damit viele erwürgt habt, das wird euch alchimia sagen. Da müßt ihr hinein, oder ihr und eure Frauen, Kinder und Freunde werden an euch Laster sehen.

Wenn ich keinen Behelf wider euch hätte als allein die Zeugnisse, daß ihr falsch seid und nichts wißt, wie groß würde ich noch in der Monarchei sein, darum daß ich solche Lügen entdeckte, und ihr bewährt eure Lügnerei nit in einem allein, sondern in allen euern Büchern und der lausigen Bader und Scherer Bescheißerei. Weil ich aber noch mehr tue und lehre euch, und ihr mich nit, und was ich von euch habe, nahm das Feuer hinweg und ist dahin; was ich aber lehre, wird kein Feuer fressen, wird aber euch fressen, – nun schaut, wess' die Monarchei sei! Euer oder mein? Ich verseh es mich wohl, ihr werdet Narren und Cornuten haben, die euch beistehen werden; [502] dieselben und ihr werdet einander noch selbst fressen. Ihr macht euch beliebt mit Neigen, Bücken, »gnad Herr«, »lieber Herr«, »wiedersehen Herr«, »wieder Herr«, und wenn die Herrschaft in das (Kranken-)Bett kommt und ihr Freundschaft zeigen sollt, so steht ihr da wie ein Dutenkolb, tut nichts als bescheißen und berußen. Sollten die Kranken, die ihr erwürgt, wieder aufstehen, und euch weiter im Leben Zucht und Ehr erweisen, – sie würden euch auf die Nase scheißen, und ebenso in euern Fürsten Aboali Abinschini. Pfui der Schand, daß ihr in den lausigen Männern sechs Tage lest, ihr Phantasten!

Laßt euch diese Vorrede nicht hindern oder verdrossen machen; am letzten will ich noch den Leipzigern die Suppe salzen und mit dem Salz in das Holz (Guayako) legen.

Der erste Traktat, von der Philosophia

Weil in der Philosophie der Grund der Arznei liegt, so ist uns allen erstlich not zu wissen, wie aus der Philosophie der Grund genommen werden möge. Vorher aber und eh das erzählt werde, erfordert die Notdurft, die falsche Philosophie, die mir da einen Widerstand tun könnte, auszulegen, denn mir werden allein die widerwärtig werden, die aus der falschen Philosophie geboren sind und sich selbst doch für die gerechten achten, wie es denn bisher gesehen ist, daß allein der Abhub der Philosophie, das ist das Mies und der Schaum, wider mich aufgestanden ist; aber es ist des fex Art: sie tun gleich wie ein Schaum im Hafen, der ist nichts als ein Kot, doch schwimmt er über das Gute empor und fliegt am höchsten; aber er wird hinunter in die Asche geworfen und in den Kot, und die Suppe, als das gute, bleibt im Hafen. So werden auch die falschen philosophi geschäumt werden und in die Mistlache geworfen, und ich und meine Philosophie werden bleiben, und von uns werden die Essenden gesättigt werden und nit, wie bisher, weiter von dem Schaum, denn es sind allein Schaumärzte, die mit Prügeln in den Säutrog geworfen werden sollten.

Nun liegt die Philosophie in dem, daß allein der Krankheiten Art, materia und Eigenschaft, mit samt deren allen Wesen, aus ihr und nicht aus einer andern Kunst, allein aus der Philosophie, verstanden werde. Und wenn wo anders als aus dieser Philosophie ein Grund hergenommen wird, so ist es ein Betrug. Und das kann wohl ein Betrug heißen; ursach: der Kranke wird dadurch betrogen, und das, was die Natur dem Kranken gibt, das wird ihm durch einen solchen Arzt, der aus falscher Arznei geboren wird, entzogen; denn die Natur ist die, die dem Kranken Arznei gibt. So sie nun die gibt, so muß sie ihn auch erkennen und wissen, denn ohne Erkenntnis kann sie ihm nichts geben. Nun liegt die Erkenntnis nit im Arzt, sondern in der Natur, und darum in der Natur: sie kann die Natur in sich selbst wissen, der Arzt nit. Drum, weil allein die Natur die selbige weiß, so muß sie auch die selbige sein, die das Rezept komponiert. Denn aus der Natur kommt die Krankheit, aus der Natur kommt die Arznei und aus dem Arzt nit. Weil nun die Krankheit aus der Natur, nit vom Arzt, und die Arznei aus der Natur, auch nit vom Arzt kommt, so muß der Arzt der sein, der aus den beiden lernen muß, und was sie ihn lehren, das muß er tun. Und lehren sie ihn nichts, so kann er nichts und weiß nichts, denn bei der Natur ist die Arznei und die Krankheit und ihr selbst eigner Arzt.

Wenn nun der Arzt aus der Natur wachsen soll und muß, und in ihm und von ihm und aus ihm ist nichts, alles aus und in der Natur, so ist es von nöten, daß er aus der Natur geboren werde und nit zu Leipzig oder zu Wien. Denn was sie da lehren, findet man zu Deventer und Schwollen auch und am Deutschen Meer zu Überlingen. Die Natur lehret den Arzt, nit der Mensch. So nun in der Natur so viel liegt, so ist es von nöten, von ihr zu traktieren, wer die Natur sei; das ist nun philosophisch (gehandelt). Nun ist zu wissen von nöten, was die Philosophie sei, denn da ist ein Zank zwischen mir und dem Gegenteil. Was sie für Philosophie halten, halte ich für eine Drüse; das ist: sie sind eben gleich dem Arzt, der seine Kunst aus den Drüsen nimmt; die wachsen außen am Leibe und sehen dem Leibe gleich; es ist aber nit das, dem es gleich sieht; so ist der Arzt auch nichts. So sind die philosophi, sie wachsen aus einem Schwämme, der nur außen am Baume hängt und nichts taugt; ebenso liegen sie außen in der Philosophie und nit in der Philosophie. Daß sie auf meine Philosophie (etwas) halten, kann nicht gut sein, denn (die zeigt ihre Torheit, und) der Roßdreck läßt sich nicht verachten. Darum wird meine Philosophie von ihnen nit gebraucht, und von andern Narren auch nicht.

Es würde eine lange Rede brauchen, das lauter und klar aufzudecken, was hierin, in diesem Widereinander, notdürftig zu begreifen sei. Jedoch, um in der Kürze den Unterschied zu begreifen, lege ich ein solches vor: daß der Arzt als erstes die Himmel und Erden in ihrer materia specie und essentia, wissen muß – und so er darin unterrichtet ist, so ist er dann einer der in die Arznei treten kann, denn nach (dem Erwerb) dieser Erfahrenheit, Wissen und Kunst fängt der Arzt an. Nun ist dies mein Vorhaben und Behauptung: daß es also mit der Arznei siehe, daß aus dem äußeren Arzt der innere geboren werde, und wo der äußere nit sei, da sei auch der innere nit, und was dann der innere treibt, führt und lehrt aus seinen Subjekten, das ist umsonst. Denn die innere Philosophie lehrt nichts als ein Erdichtetes; das ist, daß man spricht, die Krankheit ist cholerisch. Die cholera ist aber nichts und nie von einem Philosophen erkannt worden. Ursach: sie kommt nit von der äußeren Philosophie, sondern von der inneren, und die innere lehrt nichts, als was der Mensch selbst spekuliert. Aus der Spekulation nimmt cholera ihren Namen und ihren Ursprung. Die äußere Philosophie erwächst aus keiner Spekulation, sondern sie erwächst aus dem äußeren Menschen und zeigt und lehrt, was der innere sei. Weil dieser nun Lehrmeister ist, so ist es von nöten, die Spekulation zu lassen und dem nachzugehen, das nit aus einem Spekulieren kommt, sondern aus der Deutung und Darlegung. Darin besteht nun unser Widereinander und der Krieg, daß mein Widerteil spekuliert und ich lehre aus der Natur. Nun ist Spekulieren Phantasieren, und Phantasieren macht einen Phantasten. Nun ist

Phantasie: auf keinen Grund bauen, sondern es ist einem jeglichen freiledig anheimgestellt, daß einer sich selbst zu genüge genug phantasieren mag und was er will und wie er will, und ist im Effekt nichts anders als gleich einem, der etwas wünscht; der hat nichts, was er wünscht. So sind die auch, die spekulieren, phantasieren, und es ist doch nichts, das sie spekulieren und phantasieren. Auf solchem Grunde steht ihre Arznei. Hier in diesem merke nun meinen und ihren Grund.

Wenn die Spekulation gut und nütze wäre, dann wäre Wünschen auch nütze, so könnte daraus wohl ein guter Handel wider mich werden; aber nichts, das Bestand hat, wird da wider mich gehandelt. Denn der Grund, den ich lege, ist nit speculatio, sondern ist inventio, – nicht speculatio, sondern naturae proprietas, – denn so, auf diese Art sollt ihr die indem äußeren archeus gegründete Philosophie erkennen, daß ihr nicht sprechen sollt: das ist cholerisch, das ist melancholisch, sondern: das ist arsenisch, das ist alaunisch. Wenn ihr sprechen werdet: das ist jovisch, das ist saturnisch, kann ich nicht wider euch handeln. Werdet ihr sprechen: das ist acoria aegritudo und der morbus ist anthera, so würde ich sprechen: ihr seid gelehrte doctores, und würde das mit der Wahrheit reden können. Denn so geht die Erkenntnis aus der Philosophie. Und so ihr sprechen werdet: der morbus ist pulegii, der ist melissae, so sehe ich, daß ihr in diesen Krankheiten Verstand habt. Sprecht ihr aber: das ist cholera, das ist phlegma, so weiß ich, daß ihr keinen Verstand habt, sondern aus der Spekulation und Phantasie, die nie mit der Wahrheit etwas geboren haben, geboren seid. Drum ist es nicht arzneiisch geredet, sondern phantastisch und spekulativisch, wie allen Narren erlaubt ist, solchen Grund zu erdenken. 506 Nun in dysenteria! Sagt ihr, es sei sanguis, sanguinisch, so ist es nit wahr; sagt ihr, es sei vitium stomachi, ein Gebrechen des Magens, so ist es aber nit. Ist alles nur Wähnen bei euch, denn nur ein Wähnen brauchen die cholerischen und phlegmatischen und melancholischen und sanguinischen. Wenn ihr aber reden würdet, es ist morbus hermodactyli, es ist morbus coloquinthidis, es ist morbus elleborinus, so müßte ich euch loben und Gutes von euch sagen, denn ihr würdet auf dem rechten Grunde sein und ginget mit der Wahrheit um. Die Namen sollen aus dem Grunde gehen und im Grunde stehen und nit in der Phantasie. Denn colica heißt sibethina, iliaca heißt moschata. Warum das? So lehrt es die äußere Philosophie, die der inneren alle Namen, Art und Eigenschaft und Zeichen gibt, lehrt und vor Augen hält. Und außerhalb dieser wird kein Arzt geboren, sondern nur Betrüger und Irrer, Phantasten und Eselsweisheit.

Weil nun der Arzt sein erstes Wissen aus der Philosophie nehmen soll, – Philosophie ist nit aus dem Menschen, sondern aus Himmel und Erden, Luft und Wasser. In denselben liegt nun aller Ärzte Wissen und Verständnis, denn von den Dingen reden und traktieren die philosophi, nit von cholera, phlegmate, melancolia und sanguine. Drum ist es nix, von ihnen zu reden; alle philosophi traktieren allein die mineralia, die Früchte, die impressiones, die influentias usw., keiner aber gedenkt der humores. Wenn nun der Spekulierarzt sprechen will: ich kann die Philosophie und habe mit ihr noch nicht genug; ich muß mehr wissen, drum so setze ich vier humores usw., so kann ich es verstehen, und muß nun weiter und mehr wissen, als die Philosophie anzeigt und innehält, – da merke: daß du unrecht dran bist, denn Ursache: nichts ist im Leib, daß dir nie auswendig genügend angezeigt werde, sondern alles ist mannigfaltig vorgelegt, drum solltest du sonderlich ein Wissen der Philosophie haben, so brauchtest du nicht nach weiterem Grunde zu spekulieren. Weil du aber im Grunde der Philosophie einen Mangel hast, drum mußt du solches Flickwerk brauchen, und handelst ebenso wie die Hundefänger, die sich von den ehrlichen Leuten weg in eine andere Gasse setzen und einen Handel führen, in den ihnen niemand etwas hineinredet oder -tut. So ist es mit euch Ärzten auch: ihr habt mit euerm Spekulieren (Namen) erdacht und gemacht, daß euch niemand in euer Ding hineinreden kann, das ist, ihr habts so welsch und niederländisch gemacht, daß kein Biedermann euch verstehen kann und sie müssen euch also ungeschehen lassen; damit habt ihr den Parchent, den Preis erlaufen. Aber fürwahr, kennten die philosophi diese eurer Spekulation Eigenart ebensogut wie ich, sie sprächen: was mit den Hundeschlägern! Billig haltet ihr euch von allen Gelehrten mit euern dictionibus und vocabulis, Aussagen und Namen, besonders, denn sollte man es verstehen, dann röche es alle Welt wohl, daß es Bescheißerei wäre. Wie zum Exempel: in der Apotheke schreibt ihr an: anthos, cheiri, buglossa, veronica usw. Wenn das die Bauern verstünden, so müßten sie einfältig sein, daß sie so viel Geld dafür gäben. Es ist ein Betrug, in den niemand hineinreden kann, denn niemand versteht das Rotwelsch, und sind doch Bauernnamen. So ist die Medizin von allen Professionen geschieden und mit Sprache, Weise und Gebärde von allen Gelehrten gesondert, damit sie ohne Einrede bleibe. Das aber ist keine Philosophie, sondern eine Spekulation.

Nun ist hier mein Vornehmen, die Philosophie zu erklären, zu einem Eingange in die Arznei, was ein Arzt sein soll, – und das auf deutsch, damit das Besondere genommen und ins Gemeine gebracht werde, also daß die Philosophie dermaßen gelehrt werden solle, daß in ihr der Mensch ganz erscheine und begegne und in ihr finde alle Krankheiten und Zufälle, Gesundheit und Trübsal, alle Glieder und Gliedmaßen, alle Teile und Teile der Glieder, so viel am Menschen und im Menschen ist oder sein kann, und so viel wir in der Natur sehen, wissen und erfahren, so viel vom ersten Menschen bis zum letzten einfallen kann oder eingefallen ist, so ganz und

508 vollkommen, daß auch die Augen, die Ohren, die Stimme, der Atem in der Welt gefunden wird, auch die Beweglichkeit, die verdauenden Glieder, die austreibenden, die anziehenden, und alles, das da ist, und alles, das im Leib zur Hülfe, zur Gesundheit, zu allen Dingen not ist, daß dasselbe außen verstanden, gelehrt und gefunden werde, außen auf die Probe gebracht und als richtig gefunden, auswendig durch das Feuer getrieben und gereinigt werde, auswändig der Harn besehen, der Puls gegriffen, die Farben der Physiognomie beurteilt werden. Und so das alles auswändig in dir erfahren worden ist, dann bis du in den Dingen erfahren, alsdann gehe in den inneren Menschen, und alsdann, wenn du auswändig alle Schulrecht und Fragstücke erfahren hast und bewährt sind, darnach besieh den Seich, greif den Puls, darnach arznei innen wie außen. Das ist die Philosophie, von der ich dir sage. So ihr nun solche Philosophie nicht wißt noch könnt, wie könnt ihr dann so kühn und so hochmütig sein, daß ihr auf eure Spekulation und Phantasie hin eine solche Menge Volks arzneit, verderbt tötet, verkrüppelt und erlahmt und dazu gar blind macht?! Das müssen frevlerische Anfänger sein, die es wagen und werden darin, daß sie bescheißen, nit ersättigt, sondern sie lehrens auch andern, damit der Betrug nit absterbe! Seid ihr so kühn, das zu tun, so seid ihr auch so kühn wider mich zu schreiben, denn der Teufel steht nicht müßig, wenn man seine Kinder anrührt. So ihr der Kranken Nutz betrachtetet, so müßtet ihr euch einen andern Grund vornehmen, – aber es ist alles Büberei und nicht dahinter. Es ist genug, daß ihr den Glauben habt, seien gleich eure Werke tot oder lebendig. Wenn man nur an euch glaubt, so ist eure Küche fett. Es ist bei euch ein Glauben ohne Werke; das ist der tote Glaube. Es fehle wie es wolle, so hats Gott getan.

Damit ich aber den philosophus beschreibe, so wißt: daß er in zween Wegen wächst, einer ist im Himmel, der andere in der Erde, das ist aus jedweder Sphäre einer, und ist eine jegliche Sphäre ein halber Anfang, 509 beide ein ganzer Anfang. Nun obwohl das hier in Bezug auf beide Seiten ein philosophus genannt wird, so ist es doch dem Namen nach nicht so, sondern der ist ein philosophus, der die untere Sphäre erkennt; der die obere weiß, ist ein astronomus. Es sind aber beide astronomi, beide philosophi, beide *eines* Verstehens, beide *einer* Kunst. Nun aber, sie sind astronomi in allen vier (Gebieten der Natur); denn der ist ein astronomus, der da das Herkommen der Metalle und die Eigenschaft der Erze weiß; und der ist auch ein astronomus, der die Früchte der Erde kennt; der auch, der das Manna (in der Luft) kennt ebenso wie der, der den Saturn und Jupiter usw. weiß und kennt. Hingegen ist auch der ein philosophus, der des Himmels Impression, seine Influenz, seinen Lauf weiß; auch ist der ein philosophus der die Luft kennt ebensowohl wie der, der die Erde allein kennt. Denn das, das die Natur betrifft, ist die Philosophie. Nun ist es eine Anatomie, eine essentia, eine materia in den vieren. Denn der Saturn ist nicht allein im Himmel, sondern auch im Untersten des Meeres und im Hohlsten der Erde. Melissa ist nicht allein im Garten, sondern auch in der Luft und auch im Himmel. Was meint ihr, daß Venus sei, als allein artemisia? Was artemisia oder Beifuß, als allein Venus? Was sind sie beide? Matrix oder Mutter, conceptio oder Empfangen, vasa spermatica oder Samengefäße. Was also ist ferrum oder Eisen? Nichts als Mars. Was ist Mars? Nichts als ferrum, – das ist, sie sind beide ferrum oder Mars. Dasselbe ist auch urtica oder die Brennessel, auch (das Harz) tereniabin quarta, – und ist alles *eins*. Wer Mars kennt, der kennt ferrum, und wer ferrum kennt, der weiß, was Mars ist, und wer die kennt, der weiß, was tereniabin ist, und auch was urtica ist. Drum ist ein philosophus, der eins in dem einen weiß, und der weiß dasselbe auch in den andern, – mit dem allein die Formen betreffenden Unterschied, und nix weiter, – deshalb weil nicht vier sind, sondern nur eins ist. – Wer will den Regen beurteilen? Der astronomus. Wer will beurteilen den Tau? Der astronomus. Wer will den Talk beurteilen? der philosophis. Wer den cachimia? der philosophus. Der eins beurteilt, der weiß das andere. Und obwohl da verschiedene Namen sind, sind aber die Künste nit geschieden oder geschieden die Wissen, das ist scientiae. Denn eins ist in allen.

Das ergibt nun: einfache pilosophi, das ist: allein in einem bekannt; der ist aber nichts. Etliche sind in zweien bekannt, – ist auch nix, nix in dreien, in vieren etwas, und so sie alle vier einschließen, so ist es ganz da; das ist: die Arznei ist das Ganze und Letzte aller der Dinge. Denn wozu ist das gut, daß der astronomus den Regen, den Schnee weiß, und weiß nit, wozu sie tauglich sind. So ist er nichts; er muß auch seines Subjekts Eigenschaft wissen, ohne das ist er nichts. Ganz sein macht den Medikus. Daß die Ärzte bisher nicht ganz und ungewiß in der Arznei gewesen sind, das ist euch leicht festzustellen, denn sie haben in der Philosophie geirrt. Noch bis heute haben sie nicht gewußt, was Zinn sei; was das sei, das in ihm fließe; was ihm die Farbe gebe, und dergleichen; diese Dinge haben sie alle noch nie traktiert und wollen doctores und philosophi sein. Wenn sie das nit wissen, so werden sie auch nit wissen, was solche Krankheiten sind. Denn zuerst müssen sie wissen, woher das Zinn, woher das Kupfer, das Gold, das Eisen wächst und wie es wächst und was ihm zusteht, was es für Krankheiten leiden muß und was in ihm zufallen kann. Wenn sie das wissen, so wissen sie doch nur ein Glied im Menschen. Wie hart wird es sie ankommen, daß sie nur ein Metall so gründlich verstehen und in ihm lernen sollen; wie hart werden sie dann die andern sieben, die andern vierundzwanzig, die andern all, deren mehr als tausend sind, ankommen. Was das nötigste in aller Philosophie und Medizin ist, das lassen sie aus.

Nun merkt ferner: sie sagen, nach der alten philosophischen Lehre: aus mercurius oder Quecksilber und sulphur oder Schwefel wachsen alle Metalle; item: vom reinen Erdreich wächst kein Stein. Nun seht an, was für Lügen! Denn Ursach: wer ist der, der als die materia der Metalle allein 511 sulphur und argentum vivum oder Quecksilber zu sein befindet, da doch alle Metalle und alle mineralischen Dinge in drei Dingen stehen und nit in zweien. Ein Fehl ist das. Also ist ihre Philosophie erlogen, denn sie wissen nichts Weiteres vom Wachsen, vom Ende, und von anderem mehr, – aber sie sollten das alles wissen. Gleicherweise wie sie sich berühmen, aus dem Seich, aus dem Puls usw. die Krankheiten und alle ihre Hülfe zu erkennen, so sollten sie ihre judicia in diesen Dingen haben, daß sie den Seich, den Puls des Himmels, der Erde und der Luft auch wüßten; aber sie wissen weder das noch anderes. So sagen sie auch, daß vom reinen Erdreich kein Stein werde. Vom Erdreich wächst gar kein Stein; sie wachsen vom Wasser, das ist ihr Element, in dem sie wachsen. (Daß sie derlei sagen), drum sind sie irrig und sie wissen die Philosophie nicht.

Obwohl diese Philosophie von Aristoteles, Albertus usw. geschrieben worden ist, – wer will aber den Lügnern glauben, die da nicht aus der Philosophie, das ist aus dem Lichte der Natur reden, sondern aus der Phantasie?! Gleich wie sie in der Medizin vier humores, cholera, phlegma usw. erdacht haben, so haben sie auch hier, in der Philosophie, die Lüge mit mercurius und sulphur erdacht; wie sich eins reimt, so auch das andere. Sie berufen sich viel auf den Albertus, Thomas; nit Albertus, Thomas, sondern sie, das ist ihr, sollen dafür einstehen. Denn Albertus hat diese Lehre nit vom Hl. Geist, sondern aus vergebener Spekulation gehabt. So auch Thomas und andere, Hermes und Archelaus. Das wisset, ihr Ärzte, alle: ihr dürft solche Dinge, Lehre und Kunst, was zu dieser Profession gehört, nit dem Hl. Geist zulegen, sondern dem Lichte der Natur. Wo ist das nun anders als in der Natur? Der Hl. Geist lehrt den Glauben usw.; darum ist das der »Glaube«; ebenso die Dinge sind die Natur, drum aus der Natur müssen sie gelernt werden. Sie liegen nit im Hl. Geist, sie liegen in der Natur; drum mußt du dich aus der Natur unterrichten lassen, von der Albertus, Thomas, Aristoteles, Avicenna, Actuarius usw. keinen Verstand 512 anders als aus Spekulieren, das ist Wähnen, gehabt haben. Weil nun so viel darin liegt zu wissen, was die Natur sei, auf das wisset, daß euch hier billig der Grund der Arznei vorgetragen wird. Denn das soll der Arzt wissen: was schmilzt im Blei? Und soll wissen: was ist das, das im Wachs zergeht? Was ist das, das im Demant so hart ist? Und was ist das, das im Alabaster so weich ist? Wenn er nun das weiß, so kann er sagen, was das sei, das ein apostem reif oder unzeitig mache, was Karbunkel mache, was Pest mache; außerhalb dieses Weges kann er es nicht wissen. Darum sind alle Schriften die von diesen und andern Krankheiten geschrieben wurden, falsch, denn sie haben aus der Spekulation und nit aus der Philosophie geschrieben, und weil sie die Philosophie nicht gekannt haben, ist all ihr Schreiben umsonst; sie gleichen einem Bauern, der das Stroh neben der Ähre, in dem nichts liegt, dreschen will. Seine Absicht ist gut, aber der Handel nicht; er dünkt ihm gut zu sein und ist doch nicht gut. So ist es auch mit den Ärzten, die solche Krankheiten beschreiben und wissen deren Philosophie nicht, und wissen ihre Art, Kunst noch Wissen nicht, und schreiben, und gebrauchen ihre Phantasie und Spekulation, – und am letzten ist es mit einem Dreck versiegelt. Das bezeugen all ihre Kranken, daß sie – nach der Subtilität geredet – Narren seien; nach der Grobe spricht man: Buben. Aber die verlogenen Schulmeister, correctores, procuratores, visitators, beanen oder junge Studenten, patres usw., wenn sie Arzt werden, so tun sie nichts anderes, sie gehen ebenso daran. Nur dran, nur dran mit euern Partheken!

Sie haben ein Buch meteororum oder zwei und mehr, und viel Glossen. Wahrlich, sie sind wenig besser als der Johannes de Garlandria, der über den zweiten Teil Alexanders schrieb. Denn was ist das meteororum des Aristoteles? Nichts als Phantasie. Ursache: es ist nichts im Himmel, womit desselben exhalationes oder Dünste, impressiones bewiesen werden können, anders als das es alles eine Phantasie und eine große polyphemische Art ist. Nun ist das meteororum nichts als Lüge, – und sie bauen auf solche weise Meister und loben sie und beschirmen sie, und wissen nicht, was es 513 ist und was sie beschirmen. Sind das nicht Gugelhahne? Aber sie werden sich um dessentwillen nicht weiter mit mir anlegen; es sei gerecht oder nicht, sie fragen dem nicht viel nach. So tun sie dergleichen auch mit andern Dingen. Ihnen liegt an nichts mehr, als daß sie das Geld mit Geschwätz aus den Leuten bringen. Weiter: ob man könne, oder man könne nichts, das ist alles gut, nur Geld her! Helft, daß der Herr Doktor aus dem Bettel kommen könne und auf der Gasse wie ein Fastnachtsbutz herumstreiche, und meine Frau Doktor neben andern Frauen auch leuchten möge. Obwohl eine große Armut in der Küche ist, müssen sie sich doch auf der Gasse und in der Kirche und am Tanz aufmutzen wie die Katze, wenn sie scheißen will. Solche Ärzte setzen ihre Kunst gering, sie haben keinen Grund noch Wahrheit darin, allein die Phantasie muß bei ihnen der Grund sein.

Nun ist aber hier mein Vornehmen, daß ein guter Grund gesetzt werde und sei, nicht auf die Meister der Casualien, nicht auf die Mörselstoßer, nicht auf die hungrigen conventores und Pröpste. Ihr Grund ist kein anderer als, er ist ein geschickter magister (id est malvister), er liest die physica und hat das letzte Jahr de coelo et mundo gelesen, der wird ein guter Arzt werden. Aus dem conventore wird ein Licht und ein auserwählt Faß, (er wird ein Narr). Wenn ihr solche conventores so betitelt, und sprächet: er ist ein Schütz und ein Cornut und kann nichts und weiß nichts, und ist ein guter pater, der nichts besser kann als die Kappen tragen und seine Glorie, und er ist ein karger Filz und ein Schinder, das hat er in der Burse gelernt, und so will er auch in der Arznei bleiben, – ist das der Grund, auf den die Arznei bei euch gerichtet und gesetzt ist, so helfe Gott den Kranken, wenn sie unter die Bachanten kommen; sie wären besser und lägen sanfter unter den Weißgerbern.

Nun ist über das, das hier gemeldet wurde, noch das: weil die Ärzte, die wider mich sind, weder dieser Philosophie noch anderer sich gebrauchen, sondern von allen Gelehrten sich entfernten, – so muß man sie wieder 514 hineintreiben und absondern, so daß weder der theologus, Jurist, Artist, astronomus, philosophus, alchemicus und alle andern nichts mit ihnen gemein haben noch sie mit den andern; das ist die Ursache, daß man ihren Beschiß nicht merkt.

Wenn nun dem also ist, so muß ihre Kunst durch eine Gewalt geschehen, durch einen erzwungenen Glauben, nämlich daß mans glaub, was sie sagen, die Schrift aber laute, wie sie wolle. Und so etwa in einem Jahr ein Kranker von ihnen gesund gemacht wird, so berühmt ihr euch dess' zehn Jahre lang, und ob schon der Kranke ohne euch eher gesund geworden wäre als durch euch.

Mit solchen Taten und dem sich-Brüsten bestätigt ihr den Glauben (an euch), und mit euerm vielen Schwätzen, Laufen, Rennen und sehr fleißig sein.

Das sind aber alles Küchenarbeiten. Das ist ihr Laufen um das Geld, nicht wegen der Gesundheit. Denn hättet ihr richtige Arznei, was bedürftet ihr da des Laufens, Rennens, den Seich besehen und der Bosselarbeit, die alle einen ungelehrten Arzt anzeigen, der nichts kann noch weiß.

Wo lehrt eure philosophia, so mit den Kranken umzugehen? Wo habt ihr es aus der Natur erfahren? Aber aus euerm Unverstand und Nichtkönnen müßt ihr solches treiben, damit ihr gesehen werdet, fleißig zu sein und (auf eure Kranken) gute acht zu haben. Da meinen die Bauern, ihr tut es aus großer Kunst, dabei geschieht es aus großer Narrheit. Und wenn ihr schon Aristoteles selbst wäret und Porphyrius und Albertus, dazu Avicenna, Galen selbst, noch ist kein Grund da, daß ihr einen einzigen Kranken auf eure Philosophie vertrösten dürftet, denn wer will sich auf Lügnerei und Spekulieren vertrösten lassen. Niemand.

Drum ist aller euer Grund kein Grund, denn er geht nicht aus der zu deutenden Natur, sondern aus der Phantasie, von einem zum andern vererbt und hergebracht.

Was außerhalb der deutenden, zeigenden, augenscheinlichen Philosophie gelehrt und gebraucht wird, das ist alles umsonst, und alle Arznei, die außerhalb solches Grundes gebraucht wird, ist Betrügerei und nichts als ein Geratewohl und ein Glückszufall.

Und alle die Rezepte, die sie in aller ihrer Physik und Chirurgik haben, sind auf der Schnellwaage gelegen, und allein daß sie einen Glückszufall treffen und ohne ihr Dafürkönnen einen günstigen Himmel und freundliche Zeit und willige Natur, sonst erwürgten sie alles, was sie angriffen und nur anrührten, denn es ist nichts als Erzbachanterei in ihnen und nichts als lauter unerfahrener Grund, der wie ein Henker unter frommen Leuten sitzt. So sitzen sie mit ihrer Kunst unter den gelernten. Nota: de vexatione contra medicos.

Das schmeckt euch übel, daß euer Grund und eure Philosophie in den Dreck muß und ihr mit ihr, und die Säue müssen in euch wühlen und werden nichts Nützliches bei euch finden als den Dreck. Das ist: nix ist bei euch nutz; der Dreck ist das beste an euch, das andere sind eitel Blindschleichen, und die Maulwürfe nisten da in euern roten Kapuzen und mit Hagedorn gekrönten Köpfen. O, was für eine große Schande wird da aufstehen, wenn ihr und euer Aristoteles, Avicenna usw. in der Lache herumgezogen werden und die Kinder auf der Gasse werden über euch »Narr! Narr!« schreien, denn ihr habt keinen Grund in der Arznei, und euer Grund ist auf Sand gebaut. Weil es aber so ein seltsamer Sand gewesen ist, der wie Katzensilber glitzert, hat alle Welt gemeint, ihr seid silbern und golden, und jedermann hat euch um euers Spengelwerks willen geehrt, – das wird nun jetzt gefunden werden, daß es nichts ist als Katzensilber und Katzengold. O Talk, wachst du auf den Hohen Schulen? O cachimia, bist du zu Leipzig, und ich wähnte, du lägest im Lungau. O Markasit, o Magnesia, wie leuchtet ihr beim Gold, seht aus wie Gold, der Markasit auch, und im Feuer, da ist es Schwefel und Pech, Arsenik und Spießglanz. So wird der Erzgräber vom Schein betrogen, und so die Kranken ebenso von euch; sie wähnen auch, ihr wäret Ärzte, so seid ihr Vielfräße. Der Galmei ist es, der das Messing macht, dem Kupfer die Farbe gibt, und ist doch ein Dreck. So werdet ihr gefärbt und bleibt doch Cornuten. O calaminaris, du wirst zu allerletzt Auripigment werden. Dann wird sich der Narr in dir lustig abschilfern und eine Haut über die andere abziehen und für und für glitzern, das gefällt den Bauern wohl. Das weißt du wohl, darum tust du das. Aus dem folgt: ein Arzt muß schön gekleidet gehen, soll einen Talar mit Knöpfen tragen, eine rote Gugel und ganz und gar rot, (warum rot? Das gefällt den Bauern wohl) und das Haar fein gestrählt und ein rotes Barett drauf, Ringe an den Fingern, Türkise, Smaragde, Saphire dadrin, und wo das nit, dann auf das wenigste mit schönem Glas, – so wird der Kranke einen Glauben an ihn haben. Und die Steine haben so eine treffliche Natur, daß sie den Kranken ihr Herz dir gegenüber zu Liebe entzünden: o du meine Liebe! O du mein Herr Doktor! – Ist das physica? ist das der hippokratische Eid? ist das Chirurgie? ist das Kunst? ist das der Grund? – O du Katzensilber! Das heißt Katzensilber, das im Sande liegt und glitzert, als sei es Silber und Gold, wie man dess' auf den Bergwerken kundig ist. Das heißt pro forma gegangen, pro doctore. Der ist gelehrt, züchtig und hat einen ehrbaren Gang und ist freundlich mit den Leuten, neigt sich allemal und grüßt alle Welt. O Pharisäer! Könntest du, wessen du dich berühmst, so wärest du kein Pharisäer, o Simon.

Weh tut es dem, der im Bösen nit aufhört, bis er seine Schande entdeckt und ganz offenbar macht, und andern Ursache gibt, die offenbar zu machen. – Nun aber, damit ihr alle wißt, was die Philosophie sei, die den Bau der Arznei trägt, ist es so, wie oben erklärt steht, daß der Arzt in der Erden, im Wasser, im Feuer, in der Luft einen Menschen suchen soll, und in den selbigen nicht vier Menschen, sondern in allen *einen* Menschen allein, und in den selbigen lernen, was diesem gebricht, worin er ascendiere, absteige, in was er sich erhöhe, erniedrige, wo er da gesund, wo er da krank liege. 517 Und wenn er diesen äußeren Menschen wohl weiß und ihn wohl erkannt und erfahren hat, dann soll er sich in die Fakultät der Arznei geben, und den äußeren in den inneren wenden und den inneren im äußeren erkennen, und er soll sich alleweg hüten, daß er da keineswegs in dem inneren Menschen (wie es die Hohen Schulen tun) lern, denn da ist nichts als Verführung und der Tod. Denn bis sie (ohne den äußeren Menschen) des Menschen Anliegen erkennen könnten, wie viel Feld und Äcker müßten zu dieser Erkenntnis zu Kirchhöfen werden, – wie sie denn von grundauf lügen, daß sie durch solche Erfahrenheit zu der Kunst kommen wollten. Welcher Weg ist das? der doktorische oder mörderische? Ein jeder weise Mann mag das beurteilen, ob uns Gott auf Erden durch solche Mörderei zu unserer Gesundheit zu helfen gedacht habe oder nit, da doch in Gott keine Mörderei, kein Betrug, kein Falsch ist. Sie aber sagen, so sei die Arznei von Gott verordnet; so soll der Arzt in die Arznei eingehen, das ist: durch solche Mörderei. Nach ihrem Denken ist es so. Aber es ist von Gott nit so geordnet, sondern allein von ihnen erdacht. Gott hat den äußeren Menschen geordnet, aus dem selbigen lerne denselben erkennen; den können wir nicht töten noch verderben. Und wenn wir den selbigen erkannt haben, sollen wir darnach in dem Menschen vollbringen, was wir gelernt haben; so können wirs und morden nichts. Nun habt in euch selbst den Verstand und laßt euer Gewissen einen Richter sein, und laßt ihm so viel Luft, daß es über mein Schreiben vom Äußeren lerne und vom Inneren, urteile – so wird euch euer Gewissen unterweisen, daß ihr in das Haus einsteigt und nit zur rechten Tür hineingeht. Das ist: ihr geht wie Mörder in die Arznei und steigt über die Dächer hinein und geht nicht zu der rechten Tür in die Arbeit ein, das ist: ihr nehmt eure Kunst, wie ihr es täglich mit Verderben und löten. Würgen und Verkrüppeln erfahrt; das ist falsch eingegangen in die Arznei. Aber alle Hohen Schulen im deutschen Lande steigen so in die Arznei, und die welschen desgleichen. O weh, ihr Betrüger, vos latrones furesque, ihr setzt euerm Eingänge ein Deckmäntlein, 518 das ist: dem Schalk eine Decke, auf.

Es soll die Anatomie dieses äußeren Menschen ganz dem Arzte eingebildet oder eingeprägt sein, und so ganz, daß er nit ein Härlein auf dem Haupte, nit eine Pore darin auslasse, sondern alles ganz aus dem Inaugenscheinnehmen heraus verstehe. Daraus folgt nun, daß das Setzen von Rezepten ebenso geordnet werden muß, auf daß Glied zu Glied komme, je eins dem andern gegeben werde, und nit nach den Graden eins, zwei, drei, vier, medium, finis, principium etc. Denn die Kunst der Ordinierung der Rezepte nach den Graden ist falsch und ein Betrug, und ist dermaßen ein Betrug, daß dadurch Verführungen und Erwürgungen geschehen. Denn weder die Krankheiten noch die Arznei sollen und wollen also in die Ordnung geführt werden, und die Natur erzittert darüber, daß sie in die Grade geführt werden soll. Die rechte Ordnung der Natur will, daß Anatomie mit Anatomie verglichen werde, Glied mit Glied, nit stärker noch schwächer, nicht stärker und noch stärker, denn die Krankheiten gradieren sich nicht, noch auch die Arznei. Das sie im ersten Grad gradieren, ist ein Glied, das sie in dem Mittleren des Gradus gradieren, ist ein ander Glied, das sie in dem Ende dieses Gradus gradieren, ist ein ander Glied. Und es ist nit, wie sie sagen, ein Grad. »Grad« ist nichts als eine spekulierte, unsinnige Anfängerei. So ist auch, das sie in secundum gradum setzen, ein ander Glied, im dritten ein ander Glied. Hieraus folgt nun, daß in einer solchen Aufteilung Glied zu Glied verordnet werden soll, nicht Grad zu Grad. Denn wenn ein Glied leidet und das andere auch und das dritte auch, das ist nit ein Grad; denn da sind dreierlei Leiden, also müssen da auch dreierlei Arzneien sein, nit in einem Grad, nit in einer complexio oder Qualitaet, sondern in drei Arcanen. Das ist ein trefflicher anfängerischer Einfall, den die doctores mit den Graden haben! Wenn eine Krankheit da wäre, und wäre heiß, und wollte durch Kälte gesund werden, so soll man dieser Kälte nicht die Kraft zulegen, sondern dem arcanum, das da handelt, – nicht die 519 Kälte handelt. Das ist gleich wie bei einem Menschen, der ein Ding tun soll, – was hilft ihm Wärme oder Kälte dazu? Nichts. Was nützt die Hitze der Stimme? Was nützt die Kälte den Ohren? Nichts. Diese Dinge, Wärme und Kälte, sind in allen Dingen; sie handeln aber nichts. Da liegt ihr anfängerischer Einfall, den sie auf den Hohen Schulen pflegen und gebrauchen.

Dazu haben sie auch das Nötigste vergessen; sie setzen nur *eine* Wärme, nur eine Kälte, und müssen dabei doch bekennen, daß es, dieweil es nur *eine* Kälte und *eine* Wärme sein soll, nit einerlei Kraft habe. Sondern: in der Kälte ist die, in der die (Kraft), in der Hitze das, in der Hitze das; aus der Ursache müssen sie fehlen, wenn sie Kaltes wider Heiß, Heiß wider Kaltes gebrauchen. Und was ihnen darin gerät, das tut das arcanum, von dem sie nichts gewußt haben. Drum so kann ich billig sagen, daß Glied zu Gliede gehöre, nach dem Maße der äußeren und inneren Arznei, und nicht Grad zu Grad. So soll eure Arznei sein und nicht so, wie euer Einfall ist. Das ist philosophia, daß ihr den äußeren Menschen erkennt und durch ihn den Mikrokosmos. Jetzt kannst du ein Arzt geheißen werden, auf einen Felsen gebaut, und nicht auf einen Sumpf oder Moos, so wie eure Doktrin nach einer solchen stinkenden Dreckpfütze gebaut ist, und steht. Pfui dich, du stinkender Bachant aus Meißen, säubere dich einmal und gehe ins Bad.

Nach dem Inhalt und Maß dieser Anatomie sollt ihr die Krankheiten zu nehmen wissen und dieselbigen wissen zu verstehen und zu erkennen, damit ihr dann wißt, warum der Skorpion das skorpionische Gift heile; darum nämlich, weil er des andern Anatomie ist; so ist der äußere Mensch der inneren Anatomie, je eins die des andern. Denn also heilt Arsenic den arsenicum, so Realgar realgar, so Herz das Herz, Lunge die Lunge, Milz die Milz; nit die Milz von Kühen, nit das Hirn von Säuen das Hirn des Menschen, sondern das Hirn, das des inneren Menschen äußeres Hirn ist. Aus der und dieser Anatomie traktiert die Philosophie, und das ist die Philosophie, und ist die Philosophie, aus der der Arzt wächst. Ihr lieben Ärzte all, wie groß ist die Person des äußeren Menschen! Wie groß seine arcana, seine Tugenden, Eigenschaften, Wesen und Kraft! Was ist eure speculatio und Invention? Mundificieren, abstergieren, reinigen und abwischen, im Grunde recht zu erkennen, ihr Leib- und Wundärzte! Hieraus sollt ihr wachsen, hieraus sollt ihr entspringen, nit aus euern Anfänger-Köpfen, in denen nicht ist als Verführung und Irrung. Ihr beide, Leibarzt und Wundarzt, sollt (beide) aus der Philosophie gehen und im Grunde ungeteilt stehen; allein in der Praktik sollt ihr euch teilen. Aber ein jeglicher Leib- und Wundarzt soll zu beiden Seiten sein und nit geteilt als in der Praktik.

Dazu sagen viele: Theophrastus sei kein philosophus, sei kein physicus, sei nur ein chirurgicus, (der noch euer aller Patron und Fürst werden wird). Betrachtet eure Blindheit im Grunde recht und beurteilt alle Dinge nach euerm Gewissen, so werdet ihr finden, daß Theophrastus noch der größte physicus ist, der in der physic euch noch alle mit Ruten streichen wird. Aber ihr könnt wohl mit den Juden, alldieweil ihr in der Arznei jüdisch handelt, sprechen, ich sei ein Verführer des Volkes, ich habe den Teufel, ich sei besessen, ich sei aus der Nigromantie belehrt worden, ich sei ein magus; diese Dinge all sprachen die Juden auch zu Christus. Ich bin so viel, daß ihr mir nicht die Riemen vom Schuh auflösen könnt, und denkt nicht anders: ich sei ein nigromanticus, ein geomanticus, ein hydromanticus oder ein magus, so werdet ihr doch unter meinen Füßen liegen; und braucht all eure Kunst und was ihr wißt, es wird euch alles nichts helfen; ich will euch dem Teufel, den ihr sagt, er sei in mir, heimschicken, denn er gehört euch, nit mir. Es ist aber die Art aller Bescheißer und der Bauchpharisäer und Hypocriten, daß ihr euch so beschirmt und schützt; das in euch ist und damit ihr besessen seid, das legt ihr andern auf; doch das hilft euch nichts, man muß nichtsdestominder, ihr Stadtesel und Kälberärzte der Fürsten und gloridoctores auf den Hohen Schulen, eurer Kunst inne werden. Ihr zeugt über euch selbst, daß ihr diejenigen, (die das Heilen verstehen), seid, und eure Kundschaft ist gut und richtig, denn ihr gebraucht eine ausgeklaubte, auserlesene Büberei; ihr heißt den lapis lazuli die melancholia purgieren, den Helleborum das phlegma und den Rhabarber die cholera. Wer hat euch gesagt, daß dem so sei? Der Narr sticht euch. Es ist ein klarer Handel: wenn es wahr wäre, was ihr gradiert, componiert, ordiniert, wer sollte noch krank sein? Drum aber, weil es nichts ist, wer kann gesund sein?

Damit ich meine Hörer nicht zu lange aufhalte, will ich diese meine Philosophie, in der angezeigt worden ist, das sie wissen sollen, beschließen. Wenn sie die Dinge, die darin behandelt werden, nicht in ihnen haben, sollen sie sich keineswegs unterstehen in die Arznei zu gehen, – und sollen ihrer Lehrer Werk begreifen lernen, wie die so gar keine Nothelfer in Nöten sein und so wenig gesund machen und leider so viel verderben. Und sollen dasselbe allemal in Gedanken fassen, auf ihre Lehrer acht zu haben, wie da der falsche Arzt mitlaufe, auf daß ihr nit in ihre Fußstapfen kommt; und beurteilt selbst ihre Lehre und laßt sie sie nit selbst urteilen, denn sie geben sich nicht verloren, haben allemal recht, und bleibt ihnen allemal Recht über. Ich schreib aber, daß ihr nit verführt werdet, und bitte euch, lests und durchlests mit Fleiß, nit mit Neid, nit mit Haß, weil ihr doch Hörer seid in der Arznei; lernt auch von meinen Büchern, auf daß ihr mein Urteil und das der andern vor euch nehmt, und führt euern Willen nach euerm guten Urteil. Denn so lange euch der Grund der Arznei nicht dahin führt, daß ihr die Gleichheit der vier Elemente erkennt, und sie nicht als den Mikrokosmos findet und haltet, so lange könnt ihr nit zum Grunde kommen. Denn ihr habt das Metall im Wasser, ebenso habt ihr auch in der Erden Metalle, ebenso im Feuer, ebenso auch in der Luft. Ihr habt mercurius, das ist Quecksilber, im Wasser und einen gleichen mercurius in der Erden, das ist sanguinea, und einen gleichmäßigen mercurius im

Feuer, das ist der mercurius an sich selbst, und in der Luft einen solchen, manna. Also sind viererlei mercurii, vielerlei Metall, und sind doch im Menschen einerlei Wirkung. Denn viererlei ist der Mensch, viererlei die Arznei, je Glied auf Glied; so findet ihr viererlei Schnee, viererlei Melissen, viererlei thereniabin, viererlei der Amethysten. Und es sei denn Sach, daß ihr in diesen Dingen wohl unterrichtet seid, sonst werdet ihr, ohne betrogen worden zu sein, und ohne Verführung durch eure Fakultät, nicht vollenden. Denn ihr müßt die viererlei Chelidonien, die viererlei Verbenen, die viererlei Angelica, anthos, antheras wissen und kennen. Wenn ihr die wißt, so könnt ihr vollkommen und wohl in die Arznei gehen, denn hierin liegt die Erkenntnis des Herzens, der Leber, der Milz, der Nieren, des Hirns und aller Teile im Leibe. Es wird bei euch keine Wahrheit gefunden werden, wenn ihr nit der Figur folgt, welche die Natur gezeichnet hat. Denn ihr seht, daß nichts im Menschen liegt, das nicht außen an ihm bezeichnet ist, seine Treu, sein Falsch usw., – die Natur zeichnet ihn. Nun ist sie aber so subtil, daß sie solche doctores und Lehrer, Meister und andere dergleichen nit am Leibe zeichnen kann; Ursach: sie sind nimmer in der Form, dem Model, in der Mutter. Sollten sie mit solcher ihrer Phantasei und Narrenfakultät geboren werden, man würde Wunder von seltsamen Figuren sehen, wie die Natur sie seltsam bezeichnen würde. Nun aber, damit sie nicht unbezeichnet bleiben, und weil sie doch nit im Mutterleib liegen, so zeichnet sies durch die magica so: sie legt ihnen Kleider, Kappen an usw., wodurch sie Narrenzeichen tragen, und nit allein Narrenzeichen, sondern auch Bescheißerzeichen; das sind die pharisäische Kleidung, Ornamente, fimbriae oder Krausen, Ringe und anderes solches Spengelwerk, Bulletten oder Kapseln, Barettlein, Narrenkappen; welche äußere Zierden nit aus dem Grunde der Arznei, sondern aus dem Grunde des Lichts der Natur, die ihre entlaufenen Narren also zeichnet, kommen. O, liebe Freunde, die Natur zeichnet den Menschen und das ist wahr; aber ein Großes ist es, daß sie ihre Zeichen so gut verbergen können und nehmen andere und anderes an sich. So sie zum zweiten Male von der Natur auf ihre Kunst, Weisheit und was sonst in ihnen wäre, und was sie sonst wissen und können, die Form nehmen, ihr würdet wunderliche Figuren sehen; seltsamere monstra würde Arabia, über alle Kameltiere und Büffel hinaus, nit haben. Es würden Figuren zerfließen, bis ein Jeglicher sein Zeichen hätte, denn es sind wohl sehr viele dieser Gäuche; es wäre ein groß Verwundern, dem der es erkennen würde. Die magica aber macht es kurz, hängt ihnen Kappen an und läßts dabei bleiben; es ist einem jeden Narren genug an seinem Kolben oder an der Kappe.

523

Der zweite Traktat, von der Astronomia

Wenn nun der Mensch in seiner Zusammensetzung in jeder Hinsicht betrachtet werden soll, so wisset erstlich zu erkennen, wie ihr die corpora des Firmaments im Leibe des Mikrokosmos nach ihrer Statt verstehen sollt. Denn die astra im Leibe haben ihre Eigenschaft, Art, Wesen, Natur, Lauf. Stand, Teil gleich den äußeren, allein in der Form von jenen unterschieden, das ist: in der Substanz. Denn so wie es im Aether ist, so ist es im Mikrokosmos, und in der Natur sind beide *ein* Ding und *ein* Wesen. Und weil es meine Absicht ist, die Orte der Planeten und Gestirne des ganzen Firmaments, welche ein Arzt wissen muß, zu traktieren, drum traktier ich hier allein die Anatomie beider Wesen, der Orte und der Natur; außerhalb dieses ist es nicht möglich, einen Arzt zu loben. So wisset, daß das Gestirn im Himmel kein corpus hat, denn es liegt weder noch hängt, noch steht, noch liegt nicht, sondern wie eine Feder frei in der Luft schwebt, so auch das Gestirn. Im Menschen ist es auch so, das ist in der Natur und im Lauf derselben zu erkennen. Obwohl eins am andern hängt und es ein corpus 524 ist, denn es steht, liegt und hängt usw., so soll doch dieses Anhangen von einem Arzte so wenig beachtet werden, als wäre es nit, denn es gibt es allein die irdische Art. Dem Arzt aber soll in dieser Beziehung nichts Übriges beachtbar sein, sondern er soll allein die Anatomie erkennen: als wäre gar nichts da, daran es hinge oder stünde. Sondern so, wie im Himmel alle Sterne frei stehen und an nichts hängen, so soll der Arzt ihre Anatomie im Menschen auch wissen, und nit vom Anhangen plärren: das hängt an dem, das an dem, das sitzt auf dem, das auf dem; diese Dinge sind localia non pendentia, sie fördern keinen Arzt, sie hindern aber. Ob schon so viel gespürt wird, daß du finden kannst, daß aus einem corpus in das andere eine Ader geht, und die selbe Ader hängt und führt von einer Substanz in die andere, sollst du es doch nit so auffassen, sondern du siehst im Himmel, daß ein Stern den andern tingiert und hat doch keinen körperlichen Gang einer Ader an sich, wisse dasselbe im Leibe auch, so daß du dir die sichtbaren Gänge, Adern usw. vornimmst; sondern das, was einem Arzte zu wissen dient, ist nichts als allein das, was ihm der Himmel zeigt. Das ist: wie die Sonne ohne ein corpus und Substanz durch ein Glas scheint, so verhalten sich die Gestirne gegeneinander, und also auch im Leibe. Und das, das nit corpus ist, dasselbe ist die Krankheit, und das, das corpus ist, ist nit die Krankheit.

Die Luft seht ihr, und meint, daß sie ein corpus des Firmaments sei, denn sie steht in ihm. Sie ist aber kein corpus und doch die, die das Gestirn trägt, und niemand kann sie angreifen. Es ist vielmehr die Natur und das Mysterium derselben, daß das Chaos das Gestirn hebt und trägt, Sonne und Mond. Wir sehen diesen Stuhl und diesen Träger nit. Nun ist der Eierdotter gleich dem Gestirn zu verstehen, derselbe wird vom Eierklar getragen, das ist seine Luft. Nun ist aber das Eierklar sichtbar und greiflich; es ist so in der Natur geordnet, daß das Chaos im Ei sichtbar sein soll, im Gestirn unsichtbar. Und ihr sollt wissen, daß von der Spaer Erde und Wasser nichts anderes zu verstehen ist; die selbe ist rund und niemand sieht es, was sie trägt. Und wir, die Erde und Wasser tragen, gehen in dem und wandern in dem, das sie trägt; das ist, wir gehen im Chaos, welches Chaos die selbige Sphaer trägt, daß sie nicht fallen kann. Sowenig wie ein Dotter im Ei, das kann sich nicht verrücken, nach keiner Seite, sondern muß inmitten seines Klars liegen bleiben. Wie der Dotter gezwungen wird im Klar zu liegen, aus derselben Kraft wird auch die Erde und ihr Wasser gezwungen, dermaßen unverrückt in ihrem Klar zu bleiben, und das Klar ist lauter und klar, und niemand sieht es, niemand greift es, es ist aber da und ist der selbe Klar, der die Erde trägt, und ist das Chaos. Im selbigen wandern wir gleicherweis, wie ein Hühnlein aus dem Klar schlüpft, nicht aus dem Dotter, und sein Leben ist im Klar und sein Wandern im Klar, und es wird und lebt im selbigem. Gleichermaßen sollt ihr auch wissen, daß wir Menschen wie ein Hühnlein in diesem Chaos wandern und leben. Dem Hühnlein ist das Chaos beschaffen auf seine Art, dem Eierdotter auf seine Art, und dem Menschen auf seine Art. So bleibt das Ei in seinem Klar ein Ei, und die Erde in ihrem Chaos eine Erde. Drum wißt, weil die Stätte in diesen Dingen so viel besagt, und der Ort einen Unterschied macht, und es ist doch *ein* Ding, das Ei und die Welt, und sind hinwiederum zweierlei, daß wir solchergestalt auch den Mikrokosmos in dem verstehen, wenn ich ihn setze, daß er von der Luft und dem Gestirn gesetzt sei, das ist, das selbige selbst zu sein. Nämlich, im Menschen sind Sonne und Mond und alle Planeten, desgleichen sind auch in ihm alle Sterne und das ganze Chaos. Von diesen Dingen gelüstet es mich weiter zu schreiben.

Ihr wißt, daß der Himmel in uns wirkt; nun müßt ihr wissen, wie er in uns wirkt. Von oben herab die Sonne wirkt durch eine Mauer nicht, sie wirkt allein durch das ihr Verordnete, das ist durch das Fenster, das in der Mauer steht. So auch die Luft, die muß durch Fenster ausund eingehen; in verschlossenen Dingen wird keine Arbeit des Gestirns vollbracht. Wenn nun ein Fenster sein muß, so wisset, am Menschen auch; der ist in die Haut eingeschlossen und die Haut umgibt ihn, und so kann das Gestirn nichts in ihm wirken. Aber warum und wie es in ihm wirkt, das wißt! Gleicherweise wie die Sonne durch ein Glas in einen Palast und in einen Saal scheint und verletzt dasselbe nicht, so geht es in den Leib hinein. Und weiter wie das Glas den Sonnenschein bricht, daß er nicht vollkommen ist, als außerhalb des Glases, so ist auch ein solches Mittleres zwischen dem

Gestirn und dem Menschen, das dasselbe in seiner Wirkung bricht. Und wie ein Vorhang vorgehängt wird, so ist der Mensch in seinem Willen auch gesonnen, solch ein Werk hin zu tun und zu verhängen.

Nun aber weiter: es muß etwas im Leibe sein, das die Gestirne annimmt, wenn sie in den Leib wirken. Denn wenn nichts im Leibe wäre, das dasselbige annimmt, so könnte das Gestirn nicht hinein. Zum Beispiel: die Erde nimmt die Sonne an; Ursach: es ist eine anziehende Kraft in derselben, die die Sonne anzieht; denn wie ihr seht: die Erde nimmt den Regen an, die Felsen nehmen ihn nicht an; der Erde ist er nutz, den Felsen nicht. Also: wenn im Leibe der Leib gegenüber dem Gestirn ein Fels wäre, so wäre der Himmel dem Leibe umsonst, wie der Regen dem Felsen. Nun ist es aber nicht so, sondern der Leib zieht den Himmel an sich. Was das nun aber sei, das ihn an sich zieht, – das alles ist eine große göttliche Ordnung. Wenn der Mensch aus den vier Elementen gekommen und gesetzt ist, nicht der Zusammensetzung nach, wie etliche sagen, sondern in ihrer Natur, Lauf, Wesen, Früchten, Eigenschaften usw., so ist auf das zu wissen, daß im Menschen der junge Himmel liege; das ist: alle Planeten haben im Menschen das gleiche Ansehen und Signatur und ihre Kinder, und der Himmel ist ihr Vater. Denn der Mensch ist nach dem Himmel und der Erden gemacht, denn er ist aus ihnen gemacht. So er nun aus ihnen gemacht ist, so muß er seinen Eltern gleich sein, ebenso wie ein Kind das seines Vaters Gliedmaßen alle hat. So hat sie der Mensch seinem Vater gleich; sein Vater ist Himmel und Erden, Luft und Wasser. Weil nun sein Vater Himmel und Erden sind, so muß er alle ihre Art haben und alle ihre Teile, und nit eines Härleins mangeln. Aus dem folgt nun, daß der Arzt wissen soll, daß im Menschen Sonne, Mond, Saturn, Mars, Merkur, Venus und alle Zeichen, der arktische und der antarktische polus, der Wagen und alle Viertel im Tierkreise sind. Das muß der Arzt wissen, wenn er vom Grund der Arznei reden will; wo nit, so ist er nix als ein klarer Bescheißer und arzneiet wie ein Bauer, der Koloquinten in Wein hängt und alle Menschen damit heilt. Mit der Vernunft, mit der derselbe das tut, tuts auch der Avicenna.

Soll es denn ein Kleines sein zu betrachten, daß ein Mensch nach seinem Vater angesehen und anatomiert werden soll, und nicht außerhalb desselben, sondern: wie der Vater ist, so ist auch der Sohn mit der Leber, Milz, Hirn usw., und wie eins, so das andere usw. Wie kann sich denn der Arzt mit der bachantischen Lehre der Anatomie Galens usw. genügen lassen und sich auf ihre Bücher fundieren und gründen da doch weder Anatomie noch anderes in ihnen betrachtet wird, sondern der rechten Anatomie eitel widerwärtige Ding. Auf solches ermahn ich alle, die da von der Arznei etwas wissen oder in der Arznei etwas lernen wollen, daß sie vor allen Dingen den Vater des Menschen erkennen, wer derselbe sei und wie er sei, auf daß, wenn der Vater recht erkannt wird, der Sohn weiterhin desto leichter zu erkennen sei. Denn der Sohn gibt sich ohne den Vater selbst nit zu erkennen, und der Vater offenbart den Sohn, der Sohn aber sich selbst nit. Da nun der Vater den Sohn offenbart, so offenbaren auch Himmel und Erden, Wasser und Luft den Menschen, denn sie sind der Vater. Und wenn der Vater der Offenbarer des Sohnes ist, wie kann der ein Arzt sein, der nit der Astronomie durch und durch erfahren und wohl gegründet sei? Und nit in allen Dingen, wie sie am selbigen Ort zu erfahren die Notdurft 528 erfordert. Ist es nun unbillig, hierauf den Avicenna und den Gugelmann Galen usw. Trusianus, Gentilas usw. zu verwerfen, die aus nichts als aus ihrem eigenen phantastischen Kopfe reden, und ihr Ding nicht auf die Probe führen können und mit nichts als ihrer eigenen Autorität bewähren. Weil ein Arzt mit nichten etwas schreiben oder lehren oder gebrauchen soll, es sei denn in der Natur auf das höchste zur Probe gebracht und angezeigt gefunden worden und darin, in maßen wie oben steht, gegründet worden, – und diese Leute wollen hindurch fahren und das verachten, das sie im Anfang wissen sollen. Was soll ich anderes von ihnen sagen als das, was alle meine Bücher ihnen mit Schelten und Lehren und anderer Wege Aufzeigen offenbar machen. Nun aber weiter, so wißt in diesen Dingen, daß der Himmel, wie ich anfänglich angezeigt habe, dermaßen von dem Arzte verstanden werden soll, wie er an sich selbst ist. Und wie er an sich selbst ist, so ist der Mensch in seiner Anatomie. Aus diesem geht nun die Anatomie des Menschen an, und es ist nur ein Teil derselben, den ich da vermelde, denn die Luft ist ein zweiter Teil, und beide sind hier ein Teil. Durch diese Erkenntnis müßt ihr mir, ihr Ärzte all, und ich werd es erleben, daß ihr alle hierin mit euerm Büchern Astronomie, Philosophie, Theorie, physica usw. wie ein Vogel im Strick erwürgen werdet. Und wie ein Hirsch im Sprung, da er am hoffärtigsten und am stolzesten ist, in das Garn fällt, so werdet ihr mit euern Hörnern, die euch noch nit abgestoßen worden sind, in die Pfütze fallen, in der die Bachanten ihr Begräbnis haben.

Nun weiter, wenn im Menschen die Kinder der Ascendenten, das ist des Gestirns, liegen, und gleicherweise, wie Adam seinem Vater gegenüber zu verstehen ist, das ist Himmel und Erden gegenüber, wie also gegenüber seinem Vater der Mensch eine andere Form an sich hat und doch sonst in nichts unterschieden, als was die Augen geben und anzeigen, – so sind auch die Gestirne im Menschen, und so wird der Mensch von viel tausend Vätern und von so viel tausend Müttern gesetzt, und alle Wirkung, so 529 Vater und Mutter (in das Kind) haben und gebrauchen, die werden auch in den Kindern sein. Sie würden denn anders erzogen, sonst werden sie den Eltern nachschlagen und deren Einwirkung, die ihr impressiones heißt,

vollbringen, – und sind dermaßen impressiones, wie ein Vater, der sein Kind nach seiner Art und nach seinem Willen zieht; das selbige ist impressio, a patre influentia. So ist hie an dem Orte der Himmel nicht anders als ein Vater zu seinem Kinde. Und wie ein Kind sich selbst anders ziehen und anders lernen oder durch andere sich in andere impressiones werfen kann, so hier auch. Das ist von den mysteriis gesagt; aber was die arcana anbetrifft, so lebts im gezwungenen Erbe. Das ist: kein Kind kann das geringste Glied, das es von seinem Vater hat, von sich werfen, weder Nasen noch Augen, Ohren, Zähne, Herz, Lunge, Leber usw., sondern es muß diese Ding behalten. So nun, wie diese Dinge im Menschen erzwungen werden zu sein, so sollt ihr auch wissen, daß die Menschen durch diese Dinge der Hunger und der Durst anfällt, und sie also den Durst und Hunger vom Vater erben. Wenn nun der Sohn also gegen den Vater und der Vater gegen den Sohn ist, so wißt, daß die Gestirne so im Menschen sind, daß sie den Himmel in solcher Anatomie erben und aus ihm essen. Daraus folgt nun: wie der Mensch ein Teil von der Erde ist und darum aus der Erde essen muß, desgleichen ein Teil vom Wasser, drum er vom Wasser trinken muß, und von der Luft ein Teil, weswegen er sie haben und an sich ziehen muß, so wißt, daß er dermaßen die anziehende Kraft des Himmels in sich hat. Aus dem folgt nun, daß die inneren Ascendenten, signa, Planeten usw., wenn sie im Laufe des Mikrokosmos herrschen, und in die Begierlichkeit des äußeren Firmaments kommen, und an sich ziehen, wie die Erde den Regen, – ist dieses Anziehen vom Himmel aus gesund, ist es gut, wo nicht, so ist es Gift. Wie einer, der auf seinen Acker Gänsedreck schüttet, der verderbt ihn, so verderben auch hier die Krankheiten vom Himmel, und nicht allein die Krankheiten, sondern auch die Gesundheit. Denn gleich wie die Krankheit kommt auch die Gesundheit von außen, 530
denn wir sind nicht zur Gesundheit geordnet, und auch nicht zur Krankheit, sondern wie der Lauf es findet und führt, gesund oder ungesund, so ist er; diese Dinge stehen alle in der Gewalt der Konjunktionen. Wisset in allen Dingen, daß wir die anziehende Kraft von den äußeren viel tausendfältig in uns haben, denn unzählbar ist der Vater des Menschen in seiner Zahl, und unzählbar die Kinder dieses Vaters im Menschen. Und gleicherweise wie ein Vater ist, der uns geschaffen hat und uns unsere Ordnungen gesetzt und dem wir gleich sehen, so sind wiederum in der Natur, aus der wir geschaffen sind, so viel wunderbarlicher, unzähliger die Väter. Denn keine Zahl ist weniger denn eins, weniger kann nichts sein; die letzte und höchste Zahl aber, wer weiß sie? Oder wer ist der Zahlen an ein Ende gekommen? So unmöglich es ist, weniger als eins zu zählen, so unmöglich ist es, das Ende der Zahlenreihe zu zählen, denn das Ende ließe nicht zu, darüber hinaus zu zählen. Wer weiß das Ende? So hoch und so groß ist der Mensch

geschaffen, daß er *ein* Mensch ist und nicht weniger sein kann, und ist in der Natur mit trefflichen Vätern und Kindern so versorgt und geschaffen, daß ihre arcana, mysteria und magnalia ohne Zahl sind und keine (feste) Zahl da ist. Drum verweise ich nit ohne kleine Ursache die lügenhaftigen Skribenten und doctores, Meister und andere Ärzte, welche die Kunst der Arznei so leicht mit viererlei Dreck ausmachen wollen, dem Feuer zu. In diesen Drecken sollt ihr ertrinken und erwürgen, einer in der cholera prassina, der grünen cholera, der andere in der cholera vitellina, der fleischfarbenen cholera, der nächste in der cholera adusta, der braunen cholera, der nächste im phlegmates salso, dem salzenen phlegma, und eure Seelen müssen im Dreck vaticinieren und mit den Mücken um den Arsch fliegen.

Aus diesem Denkgrunde ist es auch notwendig zu verstehen, daß der große Mensch auch und ebenso wie der kleine krank liege. Aber der kleine 531 wirkt nicht in den großen ein, sondern der große allein in den kleinen. Hieraus ist nun die Möglichkeit der Vorhersage zukünftiger Krankheiten, die den Aether betreffen, zu folgern, Nun ist einem Arzt so viel davon zu wissen not, daß die oberen Zeichen unüberwindlich und sich selbst tödlich sind, und alsdann die Krankheit des Menschen der Arznei unterworfen sein soll; wo das nit ist, da ist der Himmel selbst seine Arznei. Denn deshalb wird das hier geschrieben und angezeigt, daß man weiß, daß viele Krankheiten gearzneit werden, die der Himmel selbst versieht, und keine Arznei. Denn wie groß meint ihr, sei das Irrsal, wenn der Himmel einen krank macht, und der Arzt fällt ihm darein und will diese Krankheit gesund machen und sie ist doch allein dem Himmel anbefohlen. Denn unter den himmlischen Krankheiten werden zweierlei verstanden: die der Arznei unterworfen sind, und die ihr nicht unterworfen sind. Die ihr unterworfen sind, – das kann allein die Krankheit sein, die der Himmel vergiftet hat und läßt es so stehen, fährt fort und heilt da nix mehr, nimmt sichs auch nicht an, da weiter etwas zu bösem oder zu bessern, sondern legt seine Impression danieder, und läßt es also gut sein. Die Krankheit aber, die nit der Arznei unterworfen ist, ist diese, die der Himmel in seiner Gewalt behält und dieselbe nit aus seiner possess, seiner Gewalt entläßt, sondern – sie sterben oder genesen, so ists allein der Himmel, der es tut. Drum wißt, daß solche Krankheiten, die der Himmel nit aus seiner possess entläßt, der Arznei nit unterworfen sind und nicht gearzneit werden sollen. Auf solchen Unterricht hin ist von nöten, daß ein Arzt wisse, was der Arznei und was nicht dem Arzte zuzuweisen ist. Denn arzneit er eine Krankheit, und dieselbe Krankheit ist noch in des Himmels Gewalt, so wird er sie dem Himmel nicht nehmen können. Der Himmel ist Meister, der Arzt und der Henker. Das aber sieht fest: wenn der Arzt an dem Ort dem Himmel in die Arznei fallen wird und sich unterstehen, den Kranken nach seinem Sinn zu meistern, so ist all seine Arznei vergebens und dem Kranken ein Gift. Von solchem Gift meint ihr Ärzte: es sei nie not, daß ichs euch hier anzeige, alldieweil ihr darein fallt, wie der Bauer in eine Pfütze. So ihr des Himmels Art nicht kennt, so laßt den Himmel stehn und laßt ihn bei seiner Wirkung beruhen. Denn wann er selbst von dem Kranken abläßt, so verderbt ihr in der Zeit den Kranken, daß hernach derselbe vom Himmel ledig und gesund wäre, aber von euch nit, sondern ihr habt ihn gewürgt und ihm eine längere Krankheit gemacht, als sich der Himmel vorgenommen hatte. Wenn ihr nun das alles nicht wißt, was arzneit ihr?! Oder was ist euer Grund, daß ihr für und für so blind in den Dingen handelt und euch aus solchem Unverstand zur Mörderei richtet und zieht? Solcher Erkenntnis in den Dingen dürft ihr nicht mangeln, denn wo sie nicht ist und dies Wissen mangelt, am selbigen Ort wachsen die Ärzte, die da ihre Kirchhöfe füllen, wessen die doctores und die Meister von den Hohen Schulen sich gebrauchen, von denen keiner etwas ist, er habe denn viel Kirchhöfe gefüllt. Und wann er alle Kirchhöfe gefüllt hat, so kann er noch nichts, und füllt weiter nicht allein die Kirchhöfe an, sondern die Felder und die Gärten, – und sie morden, was sie berühren.

Ich achte, daß es ein guter Grund sei in der Arznei, wenn einer seine Arznei versteht, auf daß er aus derlei Unwissenheit und Mörderei keinen Kirchhof macht. Urteilt nun: wie recht die haben, die mir meinen Grund der Arznei umstoßen wollen, ob sie oder ich nach Mörderei ringen oder stellen, – oder welcher unter uns am besten bestehen wird, wenn es auf die Wahrheit der Kunst ankommt.

Es nimmt sich ein weiterer Grund aus der Astronomie, wenn Krankheiten entstehen durch infectiones der andern Elemente, indem diese in gleicherweise wie der Himmel wirken als die andern Teile und Väter der Menschen. Wenn der Himmel nicht erkannt wird, so können sie auch im Grunde ihrer Natur nicht verstanden werden. Denn es geschieht, daß eine Arznei oft Gift ist, oft in *einer* Krankheit, in *einer* Stunde Arznei, das darum, weil der Himmel die Arznei inne hat und sie regiert. Weil er sie nun regiert, so ist der, der regiert, als mehr anzusehen denn der, der da regiert wird, darum, daß der regiert wird, durch den erkannt werde, der ihn regiert. Daraus folgt nun, daß nit die purgantia die Krankheiten wegnehmen noch die digestiva die Krankheiten digerieren oder verteilen, und dergleichen andere gradus, qualitates und complexiones. Denn diese Dinge der Schule sind alle falsch. Aus dem folgt, daß man wissen soll, wie der Himmel die Krankheit und wie er die Arznei regiert. Denn ein Mal, wie oben steht, regiert er die Krankheit; so auch regiert er die Arznei der anderen Elemente. Ursach: sein sind die arcana, und weil sie sein sind und sein ist die Impression und sein die Generation, so ist darauf weiter zu verstehen, daß man wissen müsse, wie die impressio sei oder gehe. Denn wenn es in diesen Punkten fehlt, so sagt ihr, die gradus seien nicht recht in Ordnung gewesen oder anderes dergleichen Lappenwerk, oder ihr wäret zu spät gekommen, so doch kein anderer Fehl ist, denn daß ihr mit euerer Meinung, die gradibus seien zu erkennen, falsch seid, und daß ihr besser die Revolution und die Operatin des Himmels erkennen solltet. Versteht: in der bursa pastoris, dem Hirtentäschel, ist die Kraft das Blut zu stellen, die dysemeriae usw., auch das Menstruum. Nun ist auch die in ihr, den fluxum ventris, den Bauchfluß, zu bringen und das Blut nicht zu stellen, sondern öfters es zu provozieren, und dergleichen begibt sich viel in andern Dingen, die purgieren sollen und oftmals restringieren, das ist zurückziehen, und also widerwärtig und als ein Wütendes erscheinen. Wess' ist diese Schuld? Allein des Himmels, der in diesen Menschen so, in jenen so erscheint, der den so, den so führt, und die Arznei in dem so, in dem so vollbringt. Denn da liegen alle operationes und alle Tugenden der Arznei in der Führung des Himmels, je nachdem er sie concordiert und coniungiert. Concordiert er sie nit recht, so wird sein Vornehmen nicht vor sich gehen. Es liegt daran, daß du in diesen Dingen allen beachtest, wie du die Arznei erkennst und 534 in deinem Vorhaben gebrauchst, daß du den Himmel in beiden Richtungen bestimmst, einmal in der Krankheit und einmal in der Arznei. Denn die Kräfte, wie sie dir der Plinius beschreibt, Dioscorides, der Macer usw. werden dir nicht so zu Willen sein, wie dirs der Buchstabe anzeigt. Denn Plinius hat das selbe unverständig, nach Art der Experimentier, die keinen Arzt geben kann, geschrieben, sondern der Grund soll den Arzt geben, wie ich es euch hier anzeige. Wenn ihr wißt, was in einem Kraut ist, so wißt ihr noch nichts. Ihr müßt auch wissen, wie sich die Kraft in diesem Kraut vollenden wird und wie sie ihren Lauf begehre und wie sie im selbigen geführt sein will. Denn wenn du das nicht kannst, ist all dein Ding vergebens und ist nichts, dann stehst du Arzt da wie ein Güli und ein Narr. Wenn es nichts hilft und nichts nutz ist, so verwunderst du dich wie über ein Meerwunder, und sprichst: Bei Gott, da und da stehts geschrieben, da und da hat es das getan; es muß eine Plage von Gott sein, denn meine Kunst ist stets gerecht. Das macht, daß du ein Narr bist, weißt der Natur Concordanz nicht.

Weil nun so viel am Himmel liegt und am Wissen um seine Wirkung in der Arznei, worin er so gewaltig ist und regiert, so ist es von nöten, daß allein der Grund, den ich setze, beachtet werde und kein anderer, und daß die allen Skribenten in das Feuer geworfen werden. Denn wer will sich mit den Lügen des Plinius trösten und wer will seine Hoffnung in das setzen, was Dioscorides, Macer und andere Naturalisten schreiben, die da solche

Tugenden in das, solche in das, da so viel, da so viel setzen. Nun ist es so: in einem Kieselstein sind saphirische Kräfte, auch rubinische; daß sie gefunden und bekannt werden und sich bewähren, liegt an dem Laufe des Himmels. Ebenso liegt es auch im Saphir und Rubin an dem Laufe des Himmels; gefällts dem Himmel und ist es sein Lauf, so ist die Kraft in den Steinen; gefällts ihm nit, so ist sie nit da; das ist: wenn seine Concordanz, nicht da ist. Nun auf Grund solcher Irrgänge und des Unwissens, daß die Ärzte das nicht gewußt und der Kunst zu wenig gehabt haben, haben sie den Himmel in seinem Lauf stehen lassen und haben ihre Rezepte komponiert, und alle Komponierung der Rezepte ist eine falsche Arznei und eine falsche, betrogene Kunst, und ist nichts denn eitel Irrung und Lügnerei bei allen Schreibern, vom ersten bis zum letzten. Denn als die Ärzte aus des Himmels Lauf gekommen sind, da haben sie in der Verzweiflung solche Phantasien erdacht und solche Lappenregel und Kapitel gemacht. Aber die rechte Kunst der Arznei will nicht so eingeführt werden, sondern sie will, daß das simplex dem Lauf gemäß gegeben werde; so aber wächst die Arznei in allen Gärten. Als aber das Wissen und die Kunst bei den Ärzten erloschen war, da mußte man über Meer fahren und von allen Ländern Arznei bringen, in der Meinung, was dort, sei auch hier gut. So sind die Apotheker entstanden, und dieweil Apotheker und Mörser sind, dieweil ist keine andere Kunst in der Arznei als Schützerei, Filzerei und eitel Bachanterei. Das ist Bachanterei, das da außerhalb seiner rechten gebürlichen Kunst gebraucht wird. Auf solches bedenkt euch alle, ihr Ärzte, wie ihr dies verantworten wollt, das ihr selbst sagt, daß etwa ein Ding hilft, etwa nit, – aus was Ursache das geschehe. Wenn ihr das wißt, da wißt ihr auch, das ich euch hier vorhalte, und alsdann könnt ihr euch auch der Kunst vertrösten. Denn was ist das, das der Plinius usw. viel geschrieben haben, und andere mehr? Es ist wahr, und ist noch viel mehr dazu, nit allein in den selben, sondern auch in anderen Dingen der Natur mehr, in denen auch solche Kraftinnen ist. Das selbige zu wissen ist keine Kunst; das ist die Kunst, daß die Wirkung geschehe. Darin liegt der Kern, nit am Wissen, sondern am Vollbringen; das ist die Kunst des Arztes. Aus solcher Kunst treibt hypericon, das Johanniskraut, ascarides, die Spulwürmer, aus, und ein andermal vermes, Würmer, ein andermal serpentes oder Schlangen, usw.; so wirkt Eisen mit der Kraft des Goldes, und die Amethysten haben die Kraft der Perlen, und der Marmor wirkt wie ein Hyacinth. Das ist die himmlische Wirkung und so gibt es der Dinge noch viel mehr, die ich De potentia astronomica beschreibe. Aber um hier den Grund anzuzeigen, auf dem ein Arzt stehen soll, ist genug angezeigt worden, damit die Hörer der Arznei sich erinnern und erkennen, was der Grund der Arznei sei und was nit, und auf was die Arznei gesetzt sei und wie sie gebraucht und geführt werden soll.

Ein jeglich Ding, das in der Zeit steht, das stehet im Himmel; daraus folgt nun die Fäulung, die Zergehung des Dinges und die andere Geburt. Wenn der Himmel ausgelaufen ist, in der selbigen Constellation, faulen die corpora; wenn er aber nit ausgelaufen ist, so bleiben sie und warten seines Auslaufens. Drum so faulen alle Dinge *nach* dem Laufe des Himmels und nit im Lauf; so zergehen die Dinge so verschwinden sie, so gehen die Würmer in den faulen Dingen an. Denn ohne diesen Ablauf wächst kein faules Ding, wächst auch kein Wurm. Der Ursprung der Würmer: sie kommen aus dem Lauf und werden aus einer jeglichen faulen materia, wenn der Lauf vorüber ist. Und sobald eine andere Gebarung als die der Würmer angeht, so wißt, daß der Arzt den Himmel und nit das corpus betrachten soll. Weil nun die Kur aus dem Himmel geht und das simplex wird aus dem Himmel daher geordnet, warum sollt ihr dann denen, die vom Himmel nichts wissen und in der Erde liegen und dieselbe nit verstehen, nie drein reden?

Da ist auch der Bestand der Heilung zu betrachten. Je darnach du an dem Ort den Himmel einführst, darnach ist die Arznei beständig und demnach wirkt sie. Ist dein Wirken wider den Himmel und flickst nur aus der Kraft der Erde und nicht aus dem Betrachten des Himmels, so bricht deine Arbeit alle wieder auf, und ein Schneider macht bessere Arbeit als du. Weshalb auch ein Jahr mehr Glück zum Heilen als das andere Jahr hat, eine Zeit über die andere, eine Zeit nützer als die andere ist. Wenn du solches nit weißt, was meinst du, daß du für ein Arzt seiest? Nichts als ein Rumpler, der von ungefähr hinein fällt, gerat es oder gerat es nicht. Es ist einmal geraten, es muß zum andern Male auch geraten; das ist dein Fundament. Viele sind, die der Himmel heilt, und die du deiner Arznei zulegst, viele, die dir der Himmel verderbt, und deine Arznei nützt nichts, und du wähnst, es habe eine andere Ursach. Soll es mir dann unbillig sein, daß ich dir dein Lappenwerk anzeige, und daß dein modus medicandi nichts tauge und falsch sei. Es ist gleich wie einer, der da fischen will; wie es glückt, darnach erntet er. Auf solchen Fischergrund setzt ihr Ärzte euern modum practicandi, und glaubt, es sei kein besserer auf Erden je gewesen, und ihr wollt nicht bedenken, daß je und je, was auf den Grund gebaut worden ist, nichts als ein irriger, falscher, beschissener Bau und nichts Wahrhaftiges daran ist, es gerate denn von ungefähr. Drum liegen alle Gassen, Spirale, Häuser, Winkel voller Kranken. Wäre eure Praktik wahr, so wie ihr ausgebt, so wäre der Kranken keiner auf den Gassen. Weil es aber nichts als ein Beschiß gegenüber den Reichen ist und ein Luder auf den Pfennig, drum bezeugen es die Kranken, daß ihr mit Betrug umgeht und den rechten Grund nit habt. Keine Krankheit, wenn es anders eine Krankheit ist, ist so schwer, daß sie nicht ihre Arznei zur Heilung habe.

Du weißt sie aber nit und findest sie auch nicht in dem Avicenna, in den Consilien von Montagnana, Willst du es wissen, so mußt du auf den Grund, den ich dir hier vorlege und mußt mir nach und ich nit dir nach, oder du wirst als ein Bescheißer sterben und deine Erben mit Bescheißerei begaben.

Wenn ein Arzt die Krankheiten auslegen, zählen und nennen will, so lehrt ihn das der Himmel, denn er zeigt aller Krankheiten Ursprung, materia und was die selbigen sind, an, – und mehr ist uns von den Krankheiten nit zu wissen (möglich), denn allein das, was der Himmel anzeigt. Wenn nun der Himmel das anzeigt, so wird nichts anderes gemeldet oder als Grund gegeben, als (daß sie wächst) wie ein Gras aus der Wurzel wächst oder ein Stengel, der aus seinem Samen wächst und aufgeht. Und weil im Grund kein ander Wissen da ist darüber, was die Krankheiten sind und wie sie wachsen, so können wir von denselben nichts anderes schreiben, als was die astra lehren und anzeigen. Hierauf folgt nun, daß wir, von der Heilung zu schreiben, auch keinen weiteren Grund zu ordnen oder nach unserm Gutdünken zu setzen als allein den haben, was wir aus der Beschreibung der Großen Welt lernen und sehen. Denn in so viel Teile sich die Krankheiten teilen, in so viel Teile teilen sich die astra, in so viel Ursprünge, in so viele der Gewächse, – und sie gehn alle aus der Wurzel, die weder kalt noch heiß, trocken oder feucht ist. Und wenn die Krankheit saturnus wäre, so behalte sie den Saturn und verändert den Namen und auch das Wesen nit, auch nit die Natur. Denn wie die Namen der Sterne sind, so sind die Namen der Krankheiten. Die ist des Mars, die der Luna, die des Schützen, die des Löwen, die des Pols, die des Bären, und also läßt sich die Natur in den Krankheiten nicht anders ergründen, wie die Lügner der humores: cholera, phlegma, sanguis, melancholia meinen und anzeigen. Und so wie die Gesundheit geht, die ist des Saturns, die des Jupiter, die der Venus, – damit ist ein Grund ihrer beider Wachsen, Ursprung und Herkommen gefunden.

Denn das Kind wird sich vom Vater nicht entäußern oder absetzen. Darum, der da des Regens Ursprung, Herkommen, Wesen und Art weiß, der weiß auch das Herkommen der Bauchflüsse, der Ruhr, dysenteriae, diarrhoeae, weiß auch der Dinge alle Notdurft und Eigenschaft. Der da den Ursprung, des Donners, der Winde, der Wetter weiß, der weiß, von wannen die colia und die torsienes kommen. Der da weiß, wie der Strahl, der Hagel, der Blitz entsteht und wächst, und was in ihm ist und was er ist, der weiß den Harn, den Stein, den Gries und alles, was tari arum berührt oder betrifft; der da weiß die coniunctiones miteinander und die Finsternis, der weiß den mortem improvisam, den jähen Tod, den Schlag und alles, was ihm anhängt. Der da die neuen Läufe der Zeit und die Brechung derselben von Tag zu Tag, von Stund zu Stund weiß, der weiß, was Fieber

sind und wieviele und was sie sind. Der da weiß, was der Planeten Rost
539 ist und was ihr Feuer ist und was ihr Salz ist, und was ihr mercurius ist, der weiß, wie die ulcera, die Geschwüre wachsen und von wannen sie kommen, und die scabies, das ist die Krätze, und die leprae, der Aussatz, und die sirei. Der da weiß, was venus führt oder bestimmt, und was in ihr ist, der weiß der Frauen Anliegen und weiß ihre Krankheiten und Gesundheit, und so mit allen. Soll dies nun nit im Grund betrachtet werden? Und wenn der Grund der Arznei in den Kapiteln, da vom Ursprung der Krankheiten geschrieben wird, nicht aus diesem geht, so ist es alles falsch und nichts mit Wahrheit geschrieben. Denn so, wie oben steht, nehmen die Krankheiten ihre Ursprünge; die selbigen müssen wir wissen und nit, wie die Phantasten der Hohen Schulen plärren wie die Kälber; die selbigen schreien in einer Stimme für und für, sie lachen oder greinen, es gehe ihnen wohl oder übel. So soll der Arzt nicht sein; er soll durch die Deutung wissen, was er von den Krankheiten setzt und sagt und soll das Wachsen und die materia der astrorum wissen, nit die der humores. Die astra und die corpora sind die, die da leiden und sind die, die gesund und krank sind, nit humor, cholera, phlegma usw. Was alle Dinge des Wissens des Arztes enthält, ist die Große Welt; alles andere ist nichts als Betrug.

Weil nun der Arzt allein von dem Äußern wächst und ist, deswegen kann er ein Weissager der Krankheiten, zukünftiger und gegenwärtiger, sein, und ein Wissender davon, was Kraft und Macht eine jegliche Krankheit aus den Sternen genommen habe, aus denen sie wächst. Gleicherweise, wie du dir das vom Wachsen der Form vornehmen und es ergründen kannst, mußt du auch das Wachsen der Krankheit verstehen, und zwar in der Hinsicht: du siehst, daß aus dem Samen abietis, der Tanne, eine Tanne wächst, und du kennst derselben Tannen Form, Gestalt usw., wie sie werden wird, und wiewohl du das weißt, so weißt du doch nit, was das ist, das diese Form so treibt; du weißt aber wohl, wie sie wird. So wisse nun dergleichen von den Krankheiten, Du weißt, wie caducus, der Schlag, ist und
540 du erkennst ihn, gleich wie dir das Gewächs wissend ist, so ist dir auch der caducus zu wissen möglich. Aber du weißt nit, was das ist, das die Form (des Gewächses) macht; ebenso weißt du auch nit, was das ist, das den caducus macht. Das ist wohl wahr: du kannst den wachsenden (Dingen) zumessen, was das sei, das da zu Holz wird, was zu Blättern, was zu Rinde, – die materia ist dir aber nit bekannt und du weißt nit, was sie ist, ehe es da ist. Von dem nun, was unsichtbar ist, soll der Arzt reden können, und da, das sichtbar ist, soll ihm im Wissen sein, gleich wie einer, der kein Arzt ist, der erkennt die Krankheit und weiß, was es ist, von den Zeichen; darum aber ist er noch kein Arzt. Der ist ein Arzt, der das Unsichtbare weiß, das keinen Namen hat, das keine Materie hat, und hat doch seine Wirkung.

Wer will dann sagen, daß solche und solche Krankheiten aus den humores, die ja sichtig und nit unsichtig sind, kommen, in welchen humores der Himmel nicht wirkt und nichts in die selbigen humores imprimiert, – und die Krankheiten sind des Himmels und der Himmel regiert die Krankheiten, und die Krankheiten sind unsichtbar. Wie kann dann der humor eine Krankheit oder eine Ursache zu ihr sein, dieweil der Himmel eine Ursache aller Krankheiten ist?! Und so wenig ein Wind oder eine Luft angegriffen oder gesehen werden kann, so wenig auch die Krankheiten. Wenn dann die Krankheiten nichts Greifliches, sondern dem Winde gleich sind, wie kann man sie dann purgieren oder mit diesem hinweg tun? Es sind alle Arcane so beschaffen, daß sie ohne materia und corpora ihr Werk vollbringen. Denn die Krankheiten sind keine corpora, sondern es soll Geist gegen Geist gebraucht werden. Wie der Schnee durch die Sonne hinweggeht, durch den Sommer, – wer greift desselben corpus an? Niemand. Wenn du aber versuchst, den Schnee als eine Krankheit anzusehen und drum ein corpus derselben zu sein sagst, – es ist doch das, das den Schnee macht, kein corpus, sondern ein Geist, das aber ist der Schnee. Ebenso was die excrementa macht, die faeces im Leibe macht, die du humores heißt, die selbigen sind nit die Krankheiten. 541

Das ist die Krankheit, die das selbige macht, das also geschieht; wer sieht dasselbe? Niemand. Wer greifts? Niemand. Wie kann dann ein Arzt die Krankheiten in den humores, suchen und ihren Ursprung aus denselben vermelden, während sie doch von den Krankheiten geboren werden und gemacht, und nit die Krankheit von ihnen. Der Schnee macht nit den Winter, der Winter macht aber den Schnee; denn im Hinwegtun des Schnees geht doch der Winter nicht hinweg; ob schon kein Schnee im Lande läge, noch ist es Winter. Dermaßen sollt ihr so die Krankheiten aus den Oberen erkennen; und wo ihr anderes erkennt und vom Ursprung der Krankheiten traktiert, so irrt ihr in allen euern Büchern und Schriften, – wie ihr denn bisher für und für in der Irrung gestanden seid, und das, was die Krankheit auswirft und was sie vergiftet hat, das selbige habt ihr für die Krankheit gehalten, drum ihr so viele verderbt und tötet, bis der Himmel am letzten selbst arzneit, denn er ist ein besserer Arzt als ihr es seid.

Alldieweil nun die Arznei in gar keiner Spekulation gründet, sondern allein auf den äußeren Menschen, das ist gegründet in den Himmel und die astra und dergleichen, so wißt insgemein, daß alle Arznei, die außerhalb dieses Wissens gebraucht wird, nichts als allein ein falscher und betrüglicher Grund, in dem keine Wahrheit, sondern aller Falsch ist, ist. Denn es beweist sich von selbst, daß außerhalb des vorgetragenen Grundes nichts als eine Phantasie ist, deren Grund allein Meinen und Wähnen ist. Wer ist der, der durch die Haut hindurch die Pestilenz erkennen kann? Oder wer ist der, der erkennen kann, an welchem Ort im Leibe sie entsprungen sei? Oder wie sie komme oder was ihre materia sei? Kein Mensch kann es auf diese Art wissen. Wer aber den Himmel kennt, wer die astra weiß, wer Mannah weiß, wer die mineralia weiß, die das wissen, wissen was Pest ist und wo sie ist und wie sie ist, – und außerhalb des Himmels und der astra kanns kein Arzt wissen. Weil aber die Ärzte den Grund der Arznei verlassen 542 haben, und philosophia, astronomia etc. fahren gelassen und sich selbst in die Phantasie geordnet haben, alldieweil ist von der geringsten Krankheit kein Grund geschrieben worden. Wie so gar ohne Grund sind von den Skribenten alle Kapitel der Wundarznei geschrieben worden, da weder Wahrheit noch Grund innen steht, und wenn ich das sage, dann soll ich der Arznei ein Ketzer sein und manchmal soll ich besessen sein und einen Teufel in mir haben. Wer ist der, der nicht verstünde, daß die Arznei, auch die Leibarznei, einen andern Grund haben muß als den die setzen, die voller Lügen stecken, wenn sie vom Ursprung traktieren und von der Ursache und materia. Wer will solche Schriften nicht für bachantische Invention halten? Denn so spekulieren die Bachanten, und spekulieren durch eine Mauer hinein, und sehen das Verborgene und das nicht zu sehen ist. Wer wollte das nicht für Narrerei halten? Bedenkt, wie groß und wie so edel der Mensch geschaffen sei, und wie so groß seine Anatomie begriffen werden muß, und daß nicht möglich ist, in einem Kopfe oder in der Vernunft seine Anatomie des Leibes und der Tugenden zu spekulieren, sondern aus dem Äußeren muß der Grund gehen, dann ist sichtbar und ist offenbar, was in ihm ist. Denn wie es außen ist, so ist es auch in ihm, und was außen nit ist, das ist in ihm auch nit. Und *ein* Ding ist das Äußere und das Innere, *eine* Constellation, *eine* Influenz, *eine* Concordanz, *eine* Zeit, *ein* Erz, ein tereniabin, *eine* Frucht. Denn das, in dem alle Geschöpfe verborgen liegen und sind, ist der limbus; wie im Samen, da liegt der ganze Mensch, das ist limbus parentum. Nun der limbus Adams ist Himmel und Erde, Wasser und Luft gewesen; drum bleibt der Mensch im limbus und hat Himmel und Erden, Wasser und Luft an sich, und ist das selbige. Nun wer will dann den Menschen ohne solche Philosophie und Astronomie erkennen, wie es einem Arzte und seinem Spintisieren, Phantasieren, Humoralisieren und dergleichen genugsam zu sein scheint, – wem ist das möglich? Niemanden auf Erden. Wenn es nun unmöglich ist, so muß ich sie noch einmal 543 Bachanten heißen, denn die selbigen spintisieren solche unmöglichen Dinge und freuen sich in solchen läppischen Inventionen wie ein Narr, der sich selbst weinend und lachend macht, gewonnen oder ungewonnen gibt, wie es ihm beliebt. Und es ist ebensoviel Kraft in solcher Arznei, so viel Kraft des Narren Phantasie hat. Drum ist alle Arznei, die nicht ihre Erkenntnis gewaltig aus dem gesagten Grunde nimmt, falsch und erlogen, und ist nichts weiter in ihr als Luder, Edel und Unedel zu bescheißen eine ausgeklaubte Büberei.

Alchimia, der dritte Grund medicinae

Nun weiter: der dritte Grund, auf dem die Arznei steht, ist die Alchemie. Wenn der Arzt hierin nicht auf das höchste und größte geflissen und erfahren ist, so ist, was seine Kunst ist, alles umsonst. Denn die Natur ist so subtil und so scharf in ihren Dingen, daß sie ohne große Kunst nicht kann gebraucht werden, denn sie gibt nichts an den Tag, das auf seine Art vollendet sei, sondern der Mensch muß es vollenden. Diese Vollendung heißt alchimia. Denn der Back, indem er Brot macht, der Rebmann, indem er den Wein macht, der Weber, indem er Tuch macht, ist ein Alchemist. Der selbe, der, was aus der Natur dem Menschen zu nutz wächst, es dahin bringt, dahin er von der Natur geordnet wird, der ist ein Alchemist. Und wißt einen solchen Unterschied in dieser Kunst! Gleicherweise als einer nähme eine Schafshaut und lege sie so roh als einen Pelz oder einen Rock an, wie grob und ungeschickt das gegen den Kürschner und Tuchmacher gehalten ist, so grob und ungeschickt ist es, wenn einer etwas aus der Natur hat und das selbe nicht bereitet, und ist noch mehr als grob und ungeschickt, denn es trifft an die Gesundheit und den Leib und das Leben. Drum ist mehr Fleiß darin zu suchen und zu haben. Nun aber haben alle Handwerke der Natur nachgegründet und ihre Eigenschaften erkundet, so daß sie in allen ihren Dingen der Natur nachzufahren und das Höchste, was in ihr ist, herauszubringen wissen. Aber allein in der Arznei, da das 544 am nötigsten wäre, ist es nicht geschehen, die ist dergestalt die gröbste und ungeschickteste Kunst. Denn wie kann ein gröberer Mensch sein, als der das Fleisch roh frißt und die Haut ungegerbt anlegt und macht sein Dach unter den nächsten Felsen oder bleibt im Regen?! Und wie kann ein gröberer Arzt sein oder wie kann es in der Arznei gröber zugehen, denn wie man in den Apotheken kocht? Es kann doch fürwahr nichts Gröberes sein als das Sudeln und Durcheinandertalken, sie bescheißen und kratzen in allen Dingen. Und wie der mit der Haut bekleidet ist, so ist auch dieser Apotheker versorgt. Weil nun aber in der Bereitung der Arznei der Grund, auf dem die Arzneikunst stehen soll, liegt, so wißt hierzu, daß dieser Grund aus der Natur gehen muß und nicht aus den spintisierenden Köpfen, die kochen, als wenn ein Koch Pfeffer kochte. Denn da liegt der Trefflichste und der letzte Punkt in diesem Bereiten, nämlich wenn die Philosophie und Astronomie, das ist der Krankheiten und der Arznei Art und all ihre Zusammenfügung, verstanden wird, so ist darnach der Schluß das Nötigste: wie du das, das du kannst, brauchen sollst. Denn die Natur zeigt es dir

selbst an an den Dingen, wessen du dich hierinnen befleißigen sollst, damit du deine Arznei in Wirkung bringst. Gleich wie der Sommer die Birnen und die Trauben fertig macht, so soll auch deine Arznei geführt werden, und wenn sie so geführt wird, so wirst du mit deiner Arznei ein gut Ende erzielen. Wenn es nun dazu kommen soll, daß deine Arznei so vollendet werde, wie der Sommer seine Früchte bringt, so wißt, daß der Sommer das durch die astra tut und nit ohne die selben. So nun die astra das tun, so wisse hier an dem Ort auch, daß diese Zubereitung dahin gerichtet werden muß, daß sie den Sternen unterworfen seien, denn die sind die, die das Werk des Arztes vollbringen. Drum, weil sie die sind, so muß die Natur nach innen genannt und verstanden werden, gradiert und genaturt; es ist
545 also nit zu sagen: das ist kalt, das ist heiß, das naß, das trocken, sondern es ist zu sagen: das ist Saturn, das ist Mars, das Venus, das der Pol, – so ist der Arzt auf dem rechten Wege. Und, daß er darnach wisse, den astralischen Mars, und den gewachsenen Mars einander untertänig zu machen und einander zu conjungieren und vergleichen, denn hierin liegt der Butz (der Frucht), den vom ersten an bis auf mich noch kein Arzt gebissen hat. So wird es also verstanden: daß die Arznei soll in die Gestirne bereitet werden und daß sie Gestirne werden, denn die oberen Gestirne kränken und töten, machen auch gesund. Und soll nun da etwas geschehen, so kanns ohne die astra nicht geschehen. Wenn es nun mit den astris geschehen soll, so in dem Weg, daß die Bereitung dahin gebracht werde, daß die Arznei durch den Himmel gemacht und bereitet werde gleicherweis, wie die Prophezeiungen und andere Taten vom Himmel geschehen. Ihr seht, daß die astra die Weissagungen anzeigen, Schauer, Wetter usw. anzeigen, Tode, Krankheiten usw. der Fürsten anzeigen, Schlachten, Krankheiten, Pestilenzen, Hunger usw. anzeigen, – das alles zeigt der Himmel an, denn er machts; was er macht, das kann er wohl anzeigen. Diese Dinge gehen durch ihn; durch ihn gehen auch die Künste des Wissens. Nun, so sie durch den Himmel sind, so werden sie auch durch den Himmel regiert, nach seinem Willen zu tun, auf daß das geschehe, was vorhergesagt und angezeigt ist. Wenn diese Dinge vom Himmel nach seinem Willen bereitet worden sind, darum führt sie auch der Himmel. So wisset auch in diesen Dingen: wenn die Arznei aus dein Himmel ist, so muß sie ohne alle Einrede dem Himmel unterworfen bleiben und demselbigen Folge leisten und in seinem Willen stehen. Wenn das nun so ist, so muß der Arzt seine Weise mit Graden und Complexionen, humores und Qualitäten fahren lassen, er muß vielmehr die Arznei nach dem Gestirn erkennen, daß also oben und unten astra sind. Und weil die Arznei ohne den Himmel nichts taugt, so muß sie durch den Himmel geführt werden. Ihre Führung ist nun nichts anderes,
546 als daß du ihr die Erde hinweg nehmest, denn der Himmel regiert sie nicht,

sie sei denn von ihr geschieden. So du sie nun geschieden hast, so ist die Arznei im Willen der Gestirne, und wird vom Himmel geführt und geleitet. Was zum Hirn gehört, das wird durch Luna zum Hirn geführt; was zur Milz gehört, wird durch Saturn zur Milz geführt; was zum Herzen gehört, wird durch Sol zum Herzen geleitet, und also durch Venus zu den Nieren, durch Jupiter zur Leber, durch Mars zur Galle. Und das ist nicht allein mit denen so, sondern auch mit allen andern, unaussprechlich zu melden.

Denn merket in diesem: was ist die Arznei, die du gibst, für die Mutter der Frau, wenn es dir Venus nit dahin leitet? Was wäre die Arznei fürs Hirn, wenn dirs Luna nit dahin führte? Und so mit den andern auch; sie blieben alle im Magen und gingen durch die Eingeweide wieder hinaus und blieben ohne Wirkung. Hieraus entspringt die Ursache, wenn dir der Himmel ungünstig ist und deine Arznei nicht leiden kann, daß du dann nichts ausrichtest. Der Himmel muß sie dir leiten. Drum so liegt in dieser Beziehung die Kunst in dem, daß du nicht sagen darfst, Melisse ist ein Mutterkraut, Majoran ist gut zum Haupt, – so reden die Unverständigen. Sondern solches liegt in der Venus und in Luna; so du die Kräuter so haben willst, wie du vorgibst, so mußt du einen günstigen Himmel haben, sonst wird keine Wirkung erfolgen. Da liegt die Irrung, die in der Arznei überhand genommen hat. Gib nur ein, hilfts, so hilfts! Solcher Praktiken Kunst kann ein jeder Bauernknecht, bedarf keines Avicenna dazu noch des Galen. Aber ihr, von den geborenen Ärzten, sagt, man muß directoria zum Haupt, zum Hirn, zur Leber usw. geben. Wie dürft ihr solche directoria setzen, alldieweil ihr den Himmel nicht versteht?! Derselbe dirigiert. Und noch eins habt ihr vergessen, das euch alle zu Narren macht: ihr wißt, was zum Hirn, zum Haupt, zur Mutter, zum Scheißen und zum Seichen dirigiert; ihr wißt aber nicht, was da dirigiert zur Krankheit! Und wenn ihr nun wißt, was zu der Krankheit dirigiert, so wißt ihr nicht, wo sie liegt. Und euch ist es gleich mit den Hauptgliedern, die ihr allzeit krank heißt, wie den Pfaffen mit den Heiligen; die müssen alle im Himmel sein, ob sie schon in der Hölle begraben liegen; ebenso müssen euch alle Krankheiten in der Leber, Lunge usw. liegen, wenn es schon im Arsch liegt. 547

Weil nun der Himmel durch seine astra dirigiert und nit der Arzt, so muß die Arznei dermaßen in Luft gebracht werden, daß sie vom Gestirn regiert werden kann. Denn welcher Stein wird vom Gestirn hochgehoben? Keiner. Allein das volatile, das ist das Flüchtige. Viele haben in der Alchemie quintum esse gesucht, das nichts anderes ist, als wenn die vier corpora von den Arkanen genommen werden, und das was dann übrig ist, ist das eigentliche arcanum. Dieses arcanum ist ein chaos, und es ist dem Gestirn möglich es zu führen, wie eine Feder vom Wind. So soll nun die Bereitung der Arznei sein, daß die vier corpora von den Arkanen genommen werden, und darnach soll das Wissen da sein, was in diesem arcanum das astrum sei, und darnach was das astrum dieser Krankheit sei, was das astrum in der Arznei wider diese Krankheit sei. Da geht nun das Dirigieren an. Wenn du eine Arznei eingibst, so muß dirs der Magen bereiten; er ist der Alchemist. Ist es nun dem Magen möglich es dahin zu bringen, daß die astra annehmen, so wird sie dirigiert; wo nicht, so bleibt sie im Magen und geht durch den Stuhl aus. Was ist Höheres an einem Arzte, denn das Wissen um die Concordierung beider astra?! Denn da liegt der Grund aller Krankheiten. Nun ist alchima der äußere Magen, der dem Gestirn das seine bereitet. Es ist nicht so, wie die sagen: alchimia mache Gold, mache Silber; hier ist das Vornehmen: mach arcana, und richte dieselbigen gegen die Krankheiten; da muß der Arzt hinaus, das ist der Grund. Denn diese Dinge alle entnimmt man aus der Anweisung der Natur und ihrer Bewährung. So wollen die Natur und die Krankheit in Gesundheit und in Krankheiten zusammen gefügt und zusammen verglichen und gebracht 548 werden. Hierin liegt der Weg der Heilung und Gesundmachung. Solches alles vollendet die Alchemie, ohne welche die Dinge nicht geschehen können.

Nun ermeßt: weil die arcana alle Arzneien sind und die Arzneien sind arcana, und die arcana sind volatilia, wie kann dann der Suppenwust und Sudelkoch Apotheker hierin sich berühmen, ein dispensator, das ist Abwäger, und ein Koch zu sein?! Ja freilich, ein dispensator und ein Koch der Lumpen. Wie groß ist die Narrheit in den doctores, die in diesem Suppenwust die Bauern umführen und bescheißen und geben ihnen electuaria, das ist Auszüge, Syrupe, Pillen, unguenta oder Salben, und ist alles weder Grund noch Arznei, noch Verstand noch Wissen drin, und euer keiner mag es bei seinem Eid bewähren, daß er mit Wahrheit handele. Und ebenso tut ihr auch mit euerm Seichbesehen; da beseht ihr den blauen Himmel und lügt und trügt, daß ihr selbst das Zeugnis geben müßt, daß das meiste nichts als Rederei und ein Dünken und Wähnen ist und keine Kunst, als was von ungefähr getroffen wird. So lügt ihr in den Apotheken auch und sudelt und spült, und braucht so große Meisterschaft, daß ein jeglicher nit anders meint, als bei euch sei das Himmelreich; so ists der Abgrund der Hölle. Wenn ihr eure Stümperei fahren ließet und den Arcanen nachgingt, was sie wären, und wer ihr director wäre, und wie die astra, die Krankheit und die Gesundheit wären, so müßtet ihr hierbei erfahren, daß euer Grund nichts als Phantasie sei. Alles Vorhaben hier ist zu zeigen, daß der Grund der Arznei am letzten in den Arkanen stünde und die Erkanen den Grund des Arztes beschließen und vollenden. Drum, da der Beschlußgrund in den Arkanen liegt, so muß hier der Grund alchimia sein, durch welche die arcana bereitet und gemacht werden. Drum wißt allein das: daß es die arcana sind, die da Tugenden und Kräfte sind, die sind volatilia oder Flüchtige und haben keine corpora, und sind chaos und sind darum, das ist Helle, und sind durchsichtig und sind in der Gewalt des Gestirns. Und wenn du das Gestirn weißt und die Krankheit weißt, so verstehst du, was dein ductor, das ist Führer, und was die potentia sei. Das bewähren die arcana, daß nichts in den humores, qualitates, complexiones und nichts in »das ist melancholia«, »das ist phlegma« usw. sei, sondern es heißen muß: das ist Mars, das ist Saturn, und so ist das arcanum martis und arcanum saturni; hier liegt die physica. Welcher unter euch auditoribus oder Hörern möchte diesem Grunde feind sein? Nur eure praeceptores oder Lehrer. Ihnen ist wie den alten bäumigen, das ist überständigen, Studenten.

Wenn nun ein Arzt die Dinge wissen soll, so steht ihm zu, daß er ein Wissen darum habe, was calcinieren sei, was sublimieren sei, nicht allein, was den Handgriff betrifft, sondern was es mit der Veränderung darinnen auf sich habe, woran mehr als an dem andern liegt. Denn durch die Dinge, wie sie in der Bereitung begriffen werden, ergibt sich die Zeitigung, die die Natur oft nicht gegeben hat. Und auf die Zeitigmachung muß der Arzt seine Kunst gerichtet haben, denn er ist dieser Dinge Herbst, Sommer und Gestirn, in dem daß er sie vollbringen muß. Das Feuer (des Alchemisten) ist die Erde, der Mensch die Ordnung, die Dinge in der Arbeit der Same. Und obgleich die Dinge alle in der Welt einfach verstanden oder gemeint werden, so sind sie doch in ihrem End(stadium) verschieden, und so auch an dem Orte im Ende. Obgleich durch einen Prozeß alle arcana im Feuer geboren werden, und das Feuer ist ihre Erde, und diese Erde ist damit die Sonne, und ist in dieser zweiten Gebarung Erde und Firmament *ein* Ding. In ihm kochen die Arcanen, in ihm fermentieren, das ist gären, sie. Und wie das Korn, das, ehe es wächst, in der Erde faul wird, und darnach in seine Früchte geht, so geschieht auch hier im Feuer die Zerbrechung. Und da fermentieren sich die Arkanen und geben die corpora von sich, und gehen in ihrem Aufsteigen zu ihren Erhöhungen, deren Zeit calcinieren, sublimieren, reverberieren, solvieren usw. ist, und gehen zum andern Male in die reiteration, das ist in die transplantation. Nun geschehen diese Wirkungen alle durch den Lauf, den die Zeit gibt, denn eine Zeit in die der äußeren Welt, eine die des Menschen. Nun ist die Wirkung im himmlischen Laufe wunderbarlich. Obwohl der Künstler sich selbst und seine Arbeit als seltsam schätzen mag, so ist doch das höchste darin, daß der Himmel gleichwohl so seltsam durcheinander kocht, dirigiert, imbibiert, solviert und reverberiert, so gut wie der Alchemist, und der Lauf des Himmels lehrt den Lauf und das Regiment des Feuers im Athanar. Denn die Tugend, die im Saphir liegt, gibt der Himmel durch solutio oder Auflösung, coagulatio oder Zusammenrinnung und fixatio oder Festmachung.

Wenn nun der Himmel in seiner Wirkung durch die drei Dinge so geschaffen worden ist, bis er es dahin bringt, so muß auch die Zerbrechung saphiri in den drei Punkten stehen. Diese Zerbrechung geschieht so, daß die corpora davon wegkommen und das arcanum bleibt. Denn vorher und ehe der Saphir war, ist kein arcanum gewesen, nachfolgend aber ist – wie das Leben im Menschen – auch das arcanum durch den Himmel in diese materia gegeben worden. Nun muß das corpus hinweg, denn es hindert das arcanum, gleicherweise wie aus dem Samen nichts wächst noch wird, allein er werde denn zerbrochen, welches Zerbrechen allein das ist, daß sein corpus fault, das arcanum aber nit; so steht es auch hier mit dem corpus saphiri, allein daß es das arcanum empfangen hat. Nun ist seine Zerbrechung durch die Dinge, durch die es zusammengemacht worden ist. Das Korn auf dem Felde braucht in der Natur keine kleine Kunst, bis es in seine Ähre geht; da ist das Elixier und das höchste Ferment, das sich vor allen Dingen die Natur vorbehalten hat; dem folgt die digestio nach und aus der selbigen sein Wachsen. Welcher also der Natur ein Bereiter sein will, der muß da durch, sonst ist er nur ein Sudelkoch und Suppenwust und ein Aufspieler. Denn die Natur will, daß die Bereitung bei den Menschen allwegs wie bei ihr sei, das ist, daß ihr nachgehandelt werde, und nicht den tollen Köpfen nach.

Nun, was fermentieren und putreficieren und digerieren und exaltieren 551 die Apotheker und ihre doctores? Nichts, allein durcheinander wird ein Suppenwust gemacht und zu fressen gegeben und die Leute redlich damit beschissen. Wer kann einen Arzt loben, der nicht der Natur Art weiß und kann? Oder wer soll ihm vertrauen? Alldieweil doch ein Arzt nichts anderes sein soll als ein Erfahrener der Natur, und einer, der da der Natur Eigenschaft, Wesen und Art weiß. So er diese Dinge, der Natur Zusammensetzung, nicht kann, was ist er dann im Wiederauflösen der selben?! Merkt, daß ihr auflösen müßt! den Weg zurückgehen! Alle die Werke, die die Natur vorangetrieben hat, von einer Staffel zu der andern, die müßt ihr wieder auflösen. Und weil ihr oder ich in dieser Auflösung nichts wissen und können, sind wir nur Mörder und Erwürger, Cornuten und Bachanten.

Nun was Gutes wollt ihr durch euern Prozeß aus dem Alaun machen, in dem in Hinsicht auf die Leib- und Wundkrankheiten treffliche große Geheimnisse liegen? Wer ist der, der ihn durch den Apothekerbrauch nach dem, was in ihm ist, zu Nutz bringe? Und so nicht allein der Alaun, sondern auch die mumia. Wo sucht ihr es? Jenseits des Meeres von den Heiden? O ihr Einfältigen, – und es liegt vor euern Häusern und in den Ringmauern. Weil ihr aber die Alchemie nicht kennt, kennt ihr auch die mysteria der Natur nicht. Meint ihr, darum daß ihr den Avicenna habt und Savonarola und Valescus und Vigo, ihr wäret dann gerechtfertigt? Es ist alles nur

Schützerei! Außerhalb dieses Geheimnisses kann es niemand wissen, was in der Natur ist. Nehmt eure doctores und alle eure Skribenten, und sagt mir, was die Korallen vermögen. Und wenn ihr es wißt und sagt von ihren Kräften ein vieles und langes Geschwätz, – wenn es an ein Probestück geht, so wißt ihr nicht das kleinste aus den Tugenden der Korallen vorzuweisen, aus der Ursache: der Prozeß das arcanum zu erarbeiten, steht nicht geschrieben. Erst wenn der Prozeß durchgeführt worden ist, sind ihre Tugenden da, und ihr alle seid so einfältig, meint, es sei nur ums Zerstoßen zu tun und cribrentur et misceantur, das ist sieben und mischen, fiat pulvis cum zuccaro, macht mit Zucker ein Pulver. Was Plinius, Dioscurides usw. von 552 den Kräutern geschrieben haben, haben sie nit erprobt, sie haben es von Edelleuten gelernt, sie wissen solcher Tugenden viel und haben mit süßem Geschwätz Bücher gemacht. Tut ihr das, das sie schreiben, zaghaft? Versucht es und es ist wahr. Aber ihr wißt nicht, wieso es wahr ist, ihr könnt dessen nicht zu seinen Letzten kommen und eurer Autoren Schreiben, deren Doktoren, das ist Jünger, ihr euch zu sein berühmt, nicht auf die Probe führen. Was setzt Hermes und Archelaus vom Vitriol? Große Tugend, – und es ist wahr, sie sind in ihm. Ihr wißt aber nicht, wie sie in ihm sind, blau oder grün. Sollt ihr Meister der natürlichen Dinge sein und wisset das nicht?! Und habts gelesen, so daß ihr wißt, was das ist, aber leider, ihr richtet nichts damit aus. Was setzen andere Alchemisten mehr und philosophi von den Kräften mercurii? Viel, und es ist wahr. Ihr wißt aber nicht, wie mans machen soll. Drum hört mit euerm Geplärr auf, denn ihr und eure Hohen Schulen seid beani, Schützen darin. Ihr tut nichts als lesen, das ist in dem und das ist in dem, und das ist schwarz und das ist grün, und weiter weiß ich, bei Gott, nichts mehr; so find ichs geschrieben. Wäre es nicht geschrieben, so wüßtest du gar nichts. Meint ihr, daß ich meinen Grund unbillig in die Kunst alchimia setze, die mir solches anzeigt, das, das wahr ist, und das ihr nit wißt, zu erproben?! Soll eine solche Kunst nicht gut dazu sein zu erproben und es an den Tag zu bringen?! Und soll die nicht billig der Arznei Grund sein, die das Wissen eines Arztes auf die Probe bringt, zeigt und bewährt? Was dünkt euch, was ein solches Urteil einem Arzte, der da spricht »es schreibt Serapion, Mesue, Rhasis, Plinius, Dioscurides, Macer von der Verbena, die sei dazu und dazu gut«, und das, was du redest, kannst du nicht erproben, daß es wahr sei. Was für ein Urteil gedünkt dich hierin recht? Ich weiß es wohl. So ein Urteiler, ob das nicht mehr sei, zu probieren, was einer weiß, und das was wahr ist, was darin ist; du kannst das aber nicht ohne die alchimia. Und wenn du noch so viel läsest und wüßtest, so ist dein Wissen doch kein Wissen. Wer, der 553 mein Werk liest, will mirs verargen, daß ich dir das vorhalte und dir es verdeutsche? Denn du kommst nie dem Wissen deiner Kraft und Tugend, von der du redest und dich ihrer berühmst, nach. Sag mir doch, wenn der Magnet nicht ziehen will, was ist doch dessen Ursach? Wenn der Helleborus nit Kotzen macht, was ist dess' Ursache? Die (Dinge) weißt du, die zum Scheißen dienen und Kotzen, – was aber die Heilung anbetrifft und die Arkanen, die da von allen gemeldet worden sind, da bist du Bruder Löffel. Sag mir, wem ist in den Künsten und dem Wissen von der Kraft der natürlichen Dinge zu glauben, denen, die drüber geschrieben haben und haben es nicht gewußt auf die Probe zu führen, oder denen, die es zu probieren gewußt haben und habens nicht geschrieben? Ist es nit so, daß Plinius nie eine Probe aufzuweisen hat? Was hat er dann geschrieben? Was er von den Alchemisten gehört hat. So es nit weißt und kennst, wer sie sind, so bist du ein Hümpelarzt.

Wenn nun so viel an der Alchemie liegt und sie hier, in der Arznei, so gerühmt wird, ist die Ursache dessen die große verborgene Tugend, die in den Dingen der Natur liegt, und die niemanden offenbar ist, es mache sie denn die Alchemie offenbar und bringe sie hervor. Sonst ist das gleich einem, der im Winter einen Baum sieht, kennt ihn aber nit und weiß nit, was in ihm ist, so lange, bis der Sommer kommt und eröffnet nacheinander jetzt die Sprößlein, jetzt das Geblüh, jetzt die Frucht und was weiter in ihm ist. So liegt nun die Tugend in den Dingen dem Menschen verborgen, und es sei denn, daß der Mensch durch den Alchemisten derselben inne werde, wie durch den Sommer, sonst ist es ihm unmöglich sie zu erkennen.

Weil nun der Alchemist dort mit seinem Tun hervortreibt, was in der Natur ist, so wißt andere Kräfte in den locustis, andere in den Blättern, andere in den Blüten, andere in den unreifen Früchten, andere in den reifen [554] Früchten, und das so wunderbarlich, daß die letzte Frucht des Baumes ganz ungleich ist der ersten, wie in der Form so auch in den Tugenden, auf daß also die Erkenntnisse statthaben sollen vom ersten Hervorkommen bis zum letzten; denn so ist die Natur. Wenn nun die Natur in ihrer Offenbarung so ist, nicht weniger ist es der Alchemist in den Dingen, da die Natur aufgehört hat so fortzufahren. Nämlich der Ginster erreicht den Prozeß seiner Natur in der Hand des Alchemisten, auch der Thymian, auch der Epithymus und die andern alle. Nun seht ihr, daß ein Ding nicht nur eine Tugend sondern viele Tugenden hat. Wie ihr an den Blumen seht, die nicht nur eine Farbe haben und sind doch in einem Ding, und jede ist ein Ding, und eine jegliche Farbe ist an sich selbst aufs höchste gradiert. Dasselbe ist auch von den verschiedenen Tugenden zu verstehen, die in den Dingen liegen. Nun ist es die Alchemie der Farben, die Kunst und Art diese von einander zu bringen. So wie mit den Farben soll solche Scheidung auch mit den Tugenden gleicherweise geschehen, und so oft eine Änderung der Farben da ist, ebenso oft sind Änderungen der Tugenden. Denn im

Schwefel ist die Gelbe, Weiße und Röte, auch Bräune und Schwärze. Nun ist in jeder Farbe eine besondere Tugend und Kraft, und andere Dinge, die diese Farben auch haben, haben nicht dieselben, sondern in diesen Farben andere Tugenden. Hierin liegt nun der Farben Erkenntnis, wie sie uns von den Farben zusteht. Nun ist der Tugenden Offenbarung allein in der Form und in den Farben, also daß am ersten die Locusten erkannt werden, darnach die medullen oder das Mark, darnach die frondes oder Zweige, darnach die Blüten, darnach der Anfang der Früchte, ihre Mitte und das Ende. Durch solchen Prozeß, wenn die Tugenden dermaßen hervor getrieben werden, und zweitens in das Wachsen gerichtet und geführt werden, andern sich in der Reihenfolge und in der Viele der Zahl alle Tage und alle Minuten die Kräfte, die darin liegen. Denn wie die Zeit den Holdersprößlin die Laxation gibt und nit die materia, so gibt die Zeit auch den Tugenden anders und anders ihre Kräfte. Und wie die Zeit den Akazien ihre stipticitaet das ist zusammenziehende Kraft, gibt und andere agresten mehr, so gibt auch die Zeit hier – vor der letzten Zeit – Mitteltugenden. Denn diese Zeichen sind in der Alchemie sehr zu beachten, damit man das wahrhaftige Ende der Wirkung und ihren Herbst wisse, damit die Zeit der reifen Tugend und die der unreifen Tugend zum Ende komme und zum rechten Verstand der Arznei. So teilen sich nun diese Zeitigungen oder Reifungen ein, eine in die der Sprößlein, eine in die der Zweige, eine in die der Blüten, eine in die medullen oder das Mark, eine in die liquores, eine in die tolia oder Blätter, eine in die fructus, und in allem bei jeglichem Anfang, Mittel und Ende geschieden in drei Wege: in laxativa, stiptica und Arkane. Denn die Dinge, die laxieren, die da zusammenziehen, sind nicht arcana, denn deren keins ist zu Ende gebracht worden, bleiben in den Mittel- und ersten Kräften. – Wie groß ist dieses Exempel allein vom Vitriol, der jetzt und in der größten Erkenntnis ist und in der Offenbarung seiner Tugend, den ich mir auch hier vornehme, nicht um seine Tugend zu hindern, sondern zu fördern. Es gibt dieser Vitriol zuerst sein selbst laxativum, das über alle Laxativen ist, und die höchste Deoppilierung oder Öffnung, und läßt am Menschen, innen und außen, nit ein Glied, das nit von ihm versucht würde; nun das ist seine erste Zeit. Die andere gibt sein constrictivum oder Zusammenziehung; so sehr er im Anfang seiner ersten Zeit laxiert hat, so sehr constringiert er wiederum. Nun aber noch ist sein arcanum nit da, noch sind seine Sprößlein, Zweige, Blüten noch nit angefangen. Wenn er in die Zweige geht, was ist im caducus, im Schlaganfall, höheres? Wenn er in die Blust geht, was ist durchdringender, wie ein Geruch, der sich nit verbergen läßt. So er in seine Früchte geht, was ist höher in der Erquickung der Wärme? Und es ist noch viel mehr in ihm, was in seinen Enden rezensiert werden wird. Es ist euch hier allein vorgetragen worden, wie sich die arcana

555

in einem Ding in viel Teile scheiden und ein jeglich Teil hat seine Zeit,
556 und das Ende der jeweiligen Zeit sind ihre Arkanen.

So auch die erste Änderung im tartarus, was übertrifft das arcanum in pruritus, das ist Juckreiz, scabies oder Krätze und allem dergleichen Unflat. Was in der zweiten Änderung in aller Öffnung der der Verstopfung (nicht Laxation), was nachfolgend in der Heilung offener Wunden? Solches eröffnet und lehrt die Alchemie. Warum soll da nicht der Grund der Arznei billig auf ihr stehen, und sie da Kochen lernen? Und die Suppenwüste und Sudelköche der Apotheken, die von solchem Prozeß nichts wissen noch verstehen und tölpische Esel sind mitsamt ihren doctores, und unverständig sind, so daß sie solche Ding unmöglich schätzen und achten, hintan setzen. So unbelehrt und unerfahren sind sie, daß sie den Anfang des Kochens noch nit wissen, – und aller Kranken Gesundheit soll bei solchem Suppenwust gesucht werden. Nun, was wird bei ihnen gefunden als allein ein auf den Pfennig und das Gut gerichteter Sinn, es nütze oder nit, es besser oder böser. Soll es nicht billig sein, einen solchen Unverstand zu eröffnen?! Nicht, daß sie mir folgen werden! Denn sie werden sich selbst die Schande nit auferlegen, sondern der Keib, das ist Haß, und der Neid wird sie dermaßen überkommen, daß sie darauf verharren werden. Wer aber der Wahrheit nach will, der muß in meine Monarchei und in keine andere. Seht doch, ihr meine Leser und Hörer, was für einen elenden, zu erbarmenden Prozeß alle Skribenten, und alle, so jetzt zu meinen Zeiten Arzt sind, im caducus haben, daß sie einen nit davon zu befreien wissen. Soll es mir dann unbillig sein, daß ich solche Skribenten und praeceptores verachte, die da wollen, man solle die Arznei brauchen, die sie haben, und die nichts taugt, und einer, der einen anderen Weg sucht, durch den den Kranken außerhalb ihrer Bescheißerei geholfen wird, der soll ein Vagant, ein Polyphem, ein Narr sein?! Das ist die Wahrheit, daß alle ihre Rezepte gegen den caducus und andere Krankheiten mehr, ihre causae und rationes, erlogen sind; das beweist ihr Werk und bezeugen ihre eignen Kranken, desglei-
557 chen die Natur an sich selbst und aller Grund, auf dem die Arznei sieht. Und nit allein in den Dingen, sondern sie wissen nicht eine einzige Krankheit mit gewisser und tröstlicher Arznei zu heilen, während doch Gott nicht einen solchen Ungewissen, sondern einen gewissen Arzt haben will. Gibt er dem Ackerbau, den Steinmetzen usw., Gewißheit, noch viel mehr gibt er sie dem Arzt, an dem mehr liegt als an diesen allen, – und sie machen daraus einen verzweifelten Grund und sagen, es stünde in der Hand Gottes. Und so muß »die Hand Gottes« die Unwissenheit solcher Bescheißerei verteidigen, und sie haben Recht und Gott hat Unrecht; ihre Kunst wäre gerecht, Gott hat es gebrochen. Sind das keine Bescheißer, so wird es keiner mehr.

Weiter merkt, wie ich die Alchemie für einen so trefflichen Grund der Arznei nehme, nämlich darin, daß die größten Hauptkrankheiten apoplexia oder Schlag, paralysis oder Lähmung, lethargus oder Schlafsucht, caducus, mania oder Wut, phrenesis oder Wahnsinn, melancholia, id est tristitia, und dergleichen mehr nicht durch die Decoquierung oder Kocherei der Apotheker geheilt wer. den können. Denn ebenso wenig, wie ein Fleisch am Schnee gekocht werden kann, ebensowenig kann durch solche Kunst der Apotheker solche Arznei in ihren effectum kommen. Denn wie ein jeglich Ding, um zu seiner Eigentümlichkeit zu kommen, seine besondere Meisterschaft hat, so müßt ihr das auch hier in den Krankheiten verstehen, daß sie besondere arcana haben, drum müssen sie eben besondere praeparationes haben. Von diesen Bereitungen rede ich; das ist so zu verstehen, daß besondere arcana besondere Administrierungen haben und andere Administrierung andere Praeparierungen. Nun ist in den Apotheken keine Praeparaz oder Bereitung nit als allein eine Durcheinanderkochung, wie ein Suppenwust, und im selbigen Kochen ertrinken die arcana und kommen zu keiner Wirkung, denn die Natur muß in und gemäß ihrer Weise und Art gehalten werden. Wie ihr seht, daß das Weinziehen eine besondere Bereitung hat, das Brotziehen eine besondere, eine besondere mit dem Fleisch, mit Salz usw. Kräutern und anderen Dingen ist, so sollt ihr auch verstehen, daß die Natur nicht Essen und Trinken, Fleisch und Brot in eins durcheinander plampert, sondern jedes seine Form hat; das geschieht nicht ohne große Ursache, sondern aus viel Ursachen, – hier nicht not zu erzählen. Wenn die Natur uns nun das vorbildet und gibt uns dadurch zu verstehen, daß in allen Dingen eine Ordnung zu halten sei, so werden wir gleichermaßen gezwungen, anders und aber anders die Arzneien gegen die Krankheiten zu bereiten. Die Leber will trinken und fordert Wein, Wasser; nun siehe, wie am selbigen Orte der Wein hergekommen sei, und wie er geboren worden sei, bis er der Leber den Durst legt. Und ebenso auf diese Weise: der Magen will essen; nun siehe, wie ihm das Brot und die zu essende Speise so mannigfaltig bereitet wird. Nichts anderem versieh dich in den Krankheiten, wenn du zur rechten Heilung kommen, daß du auch dermaßen solche Unterscheidungen halten mußt und verstehen, als sei apoplexia ein Durst und müßte also eine besondere Arznei und also auch eine besondere Bereitung haben, – und gleich, als sei caducus der Magen und muß zu seiner Notdurft wieder eine andere Bereitung haben, wie der Magen. Und als sei mania gleich den vasis spermaticis, den Samengefäßen, die da ihre Notdurft auch anderwegs haben wollen, so sollt ihr euch des anderen Weges mit anderer Arznei und Bereitung in der mania auch versehen. Drum halte ich euch das billig vor, weil ihr so gute Arznei und die Bereitung in der Hand habt, und durch den Suppenwust laßt ihrs verderben

558

und ertrinken. Soll solches nit gesagt und eröffnet werden?! Damit der selbigen Irrung zuvorgekommen wird und damit die Kranken zu den Arkanen kommen, die ihnen Gott zu ihrer Notdurft geschaffen hat. Darum wißt auf solches, daß es so sein muß, wie ich es setze, und nicht wie ihr es setzt. Hier hernach müßt ihr mir und ich nicht euch nach. Und wenn ihr noch so viel wider mich aufwerft und plärrt, so bleibt doch meine Monarchei und die eure nit. Drum so mag ich billig hier so viel in der 559 Alchemie schreiben, auf daß ihr wohl erkennt und erfahrt, was in ihr sei und wie sie verstanden werden soll; ihr müßt nicht ein Ärgernis in dem nehmen, daß dir daraus weder Gold noch Silber werden soll, sondern das betrachten, daß da die Arkanen eröffnet werden und die Verführung der Apotheken entdeckt werde, wie bei ihnen der gemeine Mann beschissen und betrogen wird, und geben es ihm für einen Gulden, und nähmen es nit für einen Pfennig wieder zurück, – solch gute Dinge haben sie.

Wer ist, der dem widerspreche, daß nit in allen guten Dingen auch Gift liege und sei; das muß ein jeglicher zugeben. So nun dem also ist, so ist meine Frage: muß man nit das Gift vom Guten scheiden, und das Gute nehmen und das Böse nit? Ja, man muß. So man das nun tun muß, so sagt mir an: wie kommt es dann in eure Apotheken? Ihr laßt es alles beieinander. Nun aber, damit ihr in eurer Einfalt euch verantwortet über das, das ihr bekennen müßt, und damit ihr verantwortet wo es hinkommt, so sprecht ihr von correctiones, die nähmen ihm das Gift weg, wie die Kütten oder Sprossen der scammonea, dem Purgierkraut, und ist dann euer diagridium, euer Purgiersaft; was für ein Corrigieren ist das? Bleibt nicht darnach das Gift dasselbe wie zuvor? Und du sagst, du habest currigiert, es schade kein Gift mehr. Wo kommt es hin? Es bleibt im diagridium. Versuche, übersteigere die Gabe, schau wo das Gift liege, ob du es da nicht inne werdest? Ebenso corrigierst du den Turbith und heißt ihn Diaturbith; das sind correctiones, die den Bauern wohl zustünden, und den Hengsten einzugeben wären. Versuche es, übertritt die Dosis, schau, ob du da nit das Gift finden werdest. Corrigieren ist Nehmen, das ist corrigiert. Wenn einer böse ist und gesündigt hat und man straft ihn, das hilft nicht länger, als der will, der geschlagen worden ist. So sind auch diese correctiones; es sieht bei ihnen, nicht bei dir. Nun ist da einem Arzte nichts anderes zu betrachten, als daß das Gift hinweggenommen werde; das muß durch Scheiden geschehen. 560 Gleicherweise wie mit einer Schlange; die ist giftig und ist gut zu essen; nimmst du ihr das Gift hinweg, so kannst du sie ohne Schaden essen. So ist auch mit allen andern Dingen zu verstehen, daß eine solche Scheidung da sein müsse, und so lange die selbige nicht da ist, dieweil magst du deiner Wirkung keine Vertröstung haben, – es sei denn, daß dir die Natur aus glücklichem Zufall das Amt vertrete, deiner Kunst halben wäre es alles umsonst. Das muß nun einmal ein rechter Grund sein, das das Gift hinweg nimmt, wie das denn durch die Alchemie geschieht. Denn das ist von nöten, daß es geschehe, wo zum Beispiel Mars in Sol liegt, daß Mars hinweg genommen werde, auch wo Saturn in der Venus liegt, daß Saturn von der Venus geschieden werde. Denn so viel Ascendenten und impressiones in den Dingen der Natur sind, so viel sind in den selbigen auch corpora. Und was dir widerwärtige corpora sind, die selbigen müssen hinweggenommen werden, auf daß alle Contrarietaet hingehe und von dem Guten, das du suchst, weggenommen werde. Und so wenig ein Gold, das nicht in das Feuer gebracht worden ist, nutz und gut ist, so wenig ist auch die Arznei, die nit durch das Feuer läuft, nutz und gut. Denn alle Dinge müssen durch das Feuer in die andere Gebärung, in der sie dem Menschen dienlich sein sollen, gehen. Soll denn das nit eine Kunst und ein Grund eines jeglichen Arztes sein, weil der Arzt ja nit Gift, sondern arcana brauchen soll? Alle Apothekerei und die Praeparierungen alle, so viele ihrer sind, geben keinen Buchstaben solcher Lehre, sondern ihr Corrigieren ist gleicherweise nur, als wenn ein Hund in eine Stube fistete und man vertreibt den Gestank mit trochiscis, mit Pillchen, und Thymian oder Wacholderholz; ist nicht der Gestank ebenso darin wie vor, wiewohl er nicht gerochen wird?! Sollte darum einer sagen, der Gestank ist abgeschieden und ist nicht da? Er ist da, aber corrigiert mit dem Rauch; so gehen Rauch und Dreck miteinander einher. Solche correctores sind die Apotheker, sie überladen den (bitteren) aloepaticum mit Zucker und soll so nichts mehr schaden, und ist also der Zucker ihre Kunst und der Honig, und der Enzian ihr corrigieren im Theriak. Sind nicht das grobe Eselstücke, und sollen Fürsten der Arznei sein?! Wer möchte so blind sein, der das nicht riechen wollte, daß es nichts sei? Was ist ihr Vorgehen von der Arznei anderes, – es ist so eine liebliche Latwerge, von eitel Gewürz, Zucker und Honig und von andern guten Dingen zusammengeklaubt, und ist fürwahr viel davon geschrieben worden, und lappest die Kranken mit der Arznei, wenn sie nur lieblich ist. Betrachtet es selbst, daß das nicht der Grund ist, so viele Dinge und Stücke zusammenzusetzen und dem Suppenwust befehlen zu kochen. Weit ist das vom Grunde der Arznei und nichts als eine eitle ausgeklaubte Phantasterei.

So ist angezeigt worden der Grund der Arznei, nämlich in der Philosophie, Astronomie und Alchemie, auf welchen dreien aller Grund eines jeglichen Arztes steht, und wer nicht auf die drei Gründe gebaut ist, den flößt ein jeglicher Regenguß hinweg. Das ist: seine Arbeit nimmt ihm der Wind hinweg, nimmt ihm der Neumond hinweg; ihm zerbricht der nächste Neumond seinen Bau, der nächste Regen weicht ihn ihm auf. Nun urteile nach solchem Setzen der Arznei auf solchen Grund, ob ich wider die Ordnung der Arznei ein doctor sei, oder ob ich hierin ein Ketzer sei oder

ein Zerbrecher der Wahrheit oder ein toller Stierkopf?! Ob ich die gegenteilige Lehre billig oder unbillig behandle oder nit. Mit was Fug und Recht sie sich wider mich auflehnen. Ich kann wohl erkennen, daß keiner seinen Kolben gern fallen läßt; ein jeglicher, dem sein Kolben in der Hand erwärmte, der behält ihn gern darin. Das tun aber allein die Narren; der weise Mann solls nicht tun; der weise Mann soll den Kolben fallen lassen und einen andern suchen. Was liegt mir an ihnen, sie folgen mir oder nicht?! Ich werd sie nit zwingen können. Aber offenbar machen werd ich sie, daß sie sich mit viel Bescheißerei erhalten und daß ihr Grund nichts denn Phantasie sei. Der den Kranken treu und fromm ist, der der Natur in ihrer Kunst nachfolgen will, der wird mich nit fliehen. Es sind nit alle Christo
562 nachgegangen, die zu seinen Zeiten da waren, viele waren die ihn verachteten, – warum sollte mir dann eine solche Freiheit vergönnt sein, daß mich niemand verachtete?! Ich bin wohl ebenso stark und eifrig auf ihrer Leier gelegen wie sie; da ich aber sah, daß sie nichts anderes als Töten, Sterben, Würgen, Erkrümmen, Erlahmen, Verderben machte und zurichtete, und daß kein Grund da war, war ich gezwungen, der Wahrheit anderwegs nachzugehen. Darnach sagten sie, ich verstünde den Avicenna nit, den Galen nit und ich wüßte nit, was sie schrieben, und sie sagten, sie verstünden es. Und aus dem folgte über sie, daß sie erwürgten, ermordeten, verderbten, erlahmten mehr denn ich, so daß ich ebensowohl sprechen möchte: der es versteht und der es nit versteht, es ist alles *ein* Tun; sie können nicht auf die andere der beiden Seiten treten. Je länger, je mehr ich aber ihr und mein Verderben besehen habe, je länger je mehr war ich gezwungen, meinen Haß darauf zu legen, und ich habe darin so viel erkannt, daß ich finde, daß es eine eitle, ausgeklaubte, auserlesene Bescheißerei ist. Ich will es aber hiermit nit beschlossen haben, sondern in meinen Schriften weiter zu verstehen geben, wie und in was Weg alle Dinge in Falsch und Irrung stünden. Finde auch je länger je mehr, daß nicht allein in der Medizin, sondern auch in der Philosophie und Astronomie hierin nichts nach dem rechten Grund vorgenommen worden ist, wie denn gemeldet wurde. Das aber, die zu verwerfen, die so lange Zeit in der Glorie und Magnifizenz erhalten worden sind, wird einen großen Pöbel wider mich machen. Ich weiß, daß es einmal dazu kommen wird, daß die selben Magnifizenzen werden niedergestürzt werden, denn in ihnen ist nichts als Phantasie, – wie ich auch mit dem nit will geschlossen haben, sondern auch weiter, für und für, davon schreiben. Ob mir schon die Hohen Schulen nit folgen, ist mein Wille nit, denn sie werden noch nieder genug werden. Ich wills euch dermaßen erläutern und vorhalten, daß meine Schriften bis in den letzten
563 Tag der Welt bleiben und wahrhaftig sein müssen, die euern werden erkannt werden als voller Gallen, Gift und Schlangengezücht, und von den Leuten

gehaßt wie die Kröten. Es ist nit mein Wille, daß ihr übers Jahr sollt umfallen oder umgestoßen werden, sondern ihr müßt nach langer Zeit eure Schande selbst offenbaren und durch die Reuter fallen. Stärker werde ich nach meinem Tode als voher wider euch darüber richten. Und wenn ihr schon meinen Leib freßt, so habt ihr nur Dreck gefressen; der Theophrastus wird mit euch ohne den Leib kriegen.

Ich will aber die ermahnt haben, die da Ärzte werden wollen, daß sie die Sache gegen mich geschickter als ihre praeceptores angreifen, und ihr die Sache zwischen mir und dem Gegenteil aus euerm Fleiß und Urteil bedenkt, und keinem Teil zu früh zufallt und den andern verwerft, sondern bedenkt mit höchstem Fleiß, wo ihr, nämlich in der Gesundheit der Kranken, anlanden wollt. Wenn das nun euer Vorhaben ist und alle Argument, so laßt mich auch in der Zahl derer sein, die euch lehren, denn ich lande in die Gesundheit des Kranken, – mit was Grund und Tapferkeit, ist beschrieben worden und täglich werd ichs offenbar machen. Deshalb aber, daß ich allein bin, daß ich neu bin, daß ich deutsch bin, verachtet drum meine Schriften nit und laßt euch nit abwendig machen. Denn hierdurch muß die Kunst der Arznei gehen und gelernt werden, und sonst durch keinen andern Weg nit. Ich will euch auch in Sonderheit anbefehlen, daß ihr mit Fleiß die Arbeiten lesen wollt, die ich (mit der Hilfe Gottes) vollenden will, – nämlich ein Volumen von der Philosophie der Arznei, darin aller Krankheiten Ursprung kundgemacht werden soll, und eins in der Astronomie wegen der Heilung, mit genugsamlichen Verstand vorgehalten, und am letzten eins von der Alchemie, das ist modum praeparandi rerum medicinalium. Und wenn ihr die selbigen drei durchlesen und verstehen werdet, so werdet ihr (auch die, die abgefallen sind) mir nachfolgen. Will auch hiermit nit schließen, sondern für und für, dieweil Gott Gnad gibt, die Monarchei erfüllen. Und so mir die große Ungunst etlicher Wi- 564
dersacher aus der Arznei und anderer, nit so heftig auf dem Halse läge, so müßte auf diesmal der Hauptteil beendet worden sein. Ich kann auch das vorhersehen, daß sich die astronomi auch wider mich einlegen werden, auch die philosophi, aber sie werden mich nit verstehen und werden zu früh wider mich schreien und zuletzt werden sie wieder heimziehen. Laßt euch aber dadurch nit abwendig machen, sondern lest dieweil das ihre, bis daß das meine auf den Füßen nachfolgen wird; so werdet ihr finden, was ihr gern haben werdet. Denn mein Vorhaben zu schreiben ist allein hierin: auf was Grund ich die Arznei setze und halte; auf daß ihr von mir wißt, was ihr auf mich und auf meinen Grund bauen sollt. Und ich lege euch das so vor, daß ihr mich nit aus der Anweisung eurer Väter, Lehrer, Professorn usw. verwerfen könnt. Ihr sollt euch nit durch die gemeinen Ärzte, Scherer, Bader, Blatterer usw. verführen lassen; die wollen hoch und

mächtig angesehen werden und brauchen große Rede und Geschwätz, nichts als eitel Berühmen und Geuden, und ist doch nichts daran. Es ist mit ihnen gleich wie mit dem Psallieren der Nonnen; die selbigen Nonnen brauchen des Psalters Weisen und treiben Gesang, und wissen weiter weder gickes noch gackes. So ists mit den Ärzten auch; sie schreien und treiben die Weise für und für, und wie eine Nonne manchmal ein Wort versteht, darnach zehn Blätter lang nichts mehr, so sind auch diese Ärzte. Sie treffen manchmal eins, darnach aber nichts mehr. Solches alles ermeßt und erfahrt bei euch selbst, so werdet ihr selbst darin Richter sein, aus was Grund mancher fundiert ist und schreibt, wiewohl das doch in der Arznei nit seltsam ist, und sich niemand Scheltens kümmern soll. Denn die Arznei ist in ihren Conscienzen ärger als alle Hurenwirte und wie die Holhipper gegeneinander gerichtet, was alles Zeichen der unwahrhaftigen Kunst sind. Sie brauchen Neid und Haß, Verhinderung und dergleichen, wo einer solches erweisen mag, – das ist ihre Kunst. Denn so regiert sie der Teufel, aus den sie die Ordnung haben und führen; daran sollt ihr nicht zweifeln, und das beweist, daß das viele Morden und Erwürgen nit »aus der Hand Gottes« geschieht.

Der vierte Grund der Arznei, welcher ist Wesenheit

Wenn nun die Schrift von dem Wissen und den Künsten der Arznei, auf denen ein jeglicher Arzt stehen und seine Profession darein setzen soll, zum Schluß gekommen ist, so ist nun von nöten zu sagen, daß der selbige Arzt noch einen Grund an sich haben muß, der da auf die drei diene, das ist, der die drei in seinem Grund innehält und nach dem Willen Gottes, der die Arznei gegeben und geschaffen hat, trägt. Denn der Arzt ist der, der nur andern arzneit, nicht sich selber. Wie ein Schaf, das nicht sich Wolle trägt, sondern dem Weber und dem Kürschner, und wird drum gelobt, daß es viel und gute Wolle trage, so soll auch der Arzt gleich dem Schafe sein, und nit sich sondern andern den Nutz tragen und geben, und sich dieses Exempels nit entäußern. Denn ebenso ist auch Christus von Johannes baptista einem Lamm gleichgebildet worden. Nun ist es sehr von nöten, daß ein Arzt einem Lamme gleich sei, denn da liegen viel größere Dinge in ihm innen verborgen, nämlich Mörderei, Erwürgen, Verkrümmen, Erlahmen, Verderberei, Schinderei, Diebstahl, Raub; diese Dinge alle sind in einem Wolfsarzt. Wie ein Lamm und Schaf soll der Arzt sein, der von Gott ist, wie ein Wolf ist der, der seine Arznei wider Gott braucht. Nun entnehmt aus dem, was für ein verflucht Tier der Wolf ist, wie Gott den Schnödesten und Verdammtesten dem Wolf vergleicht; so soll der Name billig auch dem reißenden Arzte zugelegt werden. Welche sind die (reißenden)? Es sind die, die da arzneien und wissen bei ihrem Gewissen, daß sie nichts davon wissen und können, doch gebrauchen sie es um des Geldes willen; denen ist gleich dem Wolf, der nimmt die Schafe und weiß es wohl, daß sie nicht sein sind, aber um seines Nutzes willen tut ers. Ein solcher Arzt ist ein Mörder, denn er wagt es, die Kranken genesen oder sterben, nur damit sein Nutz vor sich gehe. Und gleich einem Schaf in des Wolfs Rachen, so sind auch diese Kranken in des Arztes Hand. Desgleichen weiter: sie stehlen dem Kranken sein Gut, sie nehmen ihm sein Haus und Hof, fressen ihm das seine, entblößen ihn und die seinen, – das ist gestohlen und geraubt. Denn einer, der sich mit unwahrhaftiger, Ungewisser Kunst nährt, – was er damit einnimmt, ist nichts anderes als ein Raub. Sie morden und erwürgen, verkrüppeln und erlahmen. Denn Ursach: sie wissen von den Dingen allen nichts, es muß bei ihnen seinen Fortgang nehmen, wie der Wind eben das Segel weht. Nicht also soll der Arzt sein. Er soll nicht seinen Nutz betrachten; ob er seine Kunst schon kann und weiß, so kann er und weiß sie darum nicht, daß er dadurch Hoffart erlange, Pracht, Pomp, und seine Hausfrau in güldenen Ketten aufziehe, und sie, die eine Bäuerin, eine Köchin, eine Magd, eine Dirn, etwa einst eine Hur gewesen ist, einer Gräfin gleich mache, setze und stelle, gekleidet und gewandet. Dies sind alle reißende Wölfe. Die Arznei soll in einem Schaf sein und in einem Lamm, also daß sie mit solchem Gemüt, Treue und Herzen gereicht und mitgeteilt werde, und hingegen Treue vom Kranken erwarten. Denn Treue auf Treue gebührt sich, Wahrheit auf Wahrheit, Gerechtes auf Gerechtes, nicht Gerechtes auf Ungerechtes, wie etwa einen Wolfsarzt mit Treue bezahlen, wie: durch einen Kranken, der ein Lamm ist, den reißenden Wolf ersättigen. Sondern die Dinge alle sollen im Arzt anfangen; wenn sie im Anfange vorhanden sind, werden sie im Ende, das ist vom Kranken, auch gefunden werden. Wo aber der Arzt die Ordnung umkehrt und ist ein Wolf und will ein Schaf haben, oder ist ungerecht, will einen Gerechten haben, der ihm gebe, und er selbst gibt dem Kranken nichts, oder daß ihm der Kranke treu sei und er ihm untreu, – wo das ist, am selbigen Ort wißt, daß kein Fieber, kein Wind, kein Wetter über den Märzen irriger läuft und verworrener durcheinander geht, als solche Arzt ein Gewächs durcheinander machen, daß niemand wohl erkennen kann, was es ist, und vermischen Treu und Untreu, Falsch und Betrug, Gutes und Böses, ärger als Galle und Zucker.

Ob ich nit billig die Redlichkeit eines Arztes auch einen Grund und eine Säule der Arznei sein lassen soll? Was ist des Arztes Redlichkeit? Ja, ja, nein, nein, das ist seine Redlichkeit, darauf soll er gründen. So nun Ja ja sein soll, so muß er die Arznei dermaßen im rechten Grund wissen, daß das Ja ein Ja sei und werde, und so soll auch nein das Nein sein. Drum muß er wissen, was Nein der Arznei sei. Aus dem folgt, daß diese Redlichkeit eines Arztes auf der Wissenheit der Kunst stehe, welche Wissenheit aus dem gemeldeten und angezeigten Grund geht und kommt, außerhalb derer auch keiner in der Arznei sich redlich heißen oder melden kann. Nun merkt, daß Gott unter allen Künsten und Fakultäten der Menschen den Arzt am liebsten hat, befiehlt und gebeut. Wenn nun der Arzt dermaßen von Gott hervorgenommen und gesetzt worden ist, so darf er endlich kein Larvenmann sein, kein altes Weib, kein Henker, kein Lügner, kein Leichtfertiger, sondern er muß ein wahrhaftiger Mann sein. Denn so wenig Gott den falschen Propheten Discipel und Jünger läßt, ebensowenig läßt er diesen Ärzten die Kunst der Arznei. Denn ihr seht, daß die falschen Propheten, Apostel usw., Märtyrer und Beichtiger nit grünen, nicht vorankommen, sondern dann, wenn sie sich am höchsten und am besten schätzen, so fallen sie, und alle ihre Jünger erheben sich gegen sie, und die ihrigen überwinden sie, denn Gott läßt sein Wort und Geheimnis durch keinen Falschen einen Vorangang haben. Wenn er durch die Falschen ebenso wie durch den Gerechten und ohne Arglist Wahrhaftigen wirkte, so hätte er nit seine Apostel auszuwählen brauchen, sondern hätte es wohl dem Satan befohlen. So es aber wider den Satan ist, und die falschen Propheten des Satans sind, so stehets in den Auserwählten Gottes. Und so werden die falschen Propheten, Apostel usw. Märtyrer in diesen Dingen ausgeschlossen, und all ihre Wunderwerke, Zeichen, Taten, Predigten, Lehre, Weissagung werden alle verworfen und weder ihr Ja noch Nein wird vor Gott angenommen werden, sondern Gutes und Böses in den Abgrund der Hölle gestoßen. So ist es auch hier mit der Arznei zu verstehen, nämlich daß Gott nit die Leichtfertigkeit damit begaben will, sondern will, daß sie durch die Wahrhaftigen geschehe. Denn weil Gott die Kunst dem Menschen zu nutz geschaffen und gegeben hat, was niemand Widerreden kann, so muß sie allein in der Wahrheit und in gewisser Wahrheit stehen, nicht in verzweifelter Kunst, sondern in gewisser Kunst. Denn Gott will, daß der Mensch wahrhaftig und nicht ein Zweifler und Lügner sei, er hat die Wahrheit geschaffen, nit die Lügen, dem Arzte also verordnet und angeschafft, in der Wahrheit zu sein, nicht in Lügen. Die Wahrheit ist seine Redlichkeit. Also ist des Arztes Redlichkeit, daß er so standhaft und so wahrhaft wie die erwählten Apostel Christi sei, denn er ist nicht weniger als sie bei Gott. So nun Gott die Wahrheit ist und er setzt den Arzt, wie könnte er ihn dann zu einem alten Weibe oder zu einer (Plapper)taschen machen, sondern er muß ihn in der Wahrheit machen. Hierauf soll die vierte Säule gesetzt werden. Aber wo sie nicht in der Wahrheit, so unbeweglich wie Gott selbst, steht, sondern sie steht in der Luft, so steht sie auf den Satan gebaut, gleich wie die falschen Propheten, die sperren den Leuten das Maul auch auf, und gleich wie die falschen Apostel, die tun auch Zeichen vor der Welt, und gleich wie die falschen Märtyrer, die sich töten lassen wie die gerechten, und gleich wie die falschen Beichtiger, die beten und fasten ebenso wohl wie die gerechten. Nun sind sie um solches willen nicht auf die Wahrheit Gottes noch auf Christum gebaut, sondern auf den Teufel und Satan, in dem tun sie es. Ebenso suchen und nennen auch diese Ärzte ihre Fortuna und Kunst, und darnach sagen sie, gleich den oben gemeldeten falschen: wir sind aus Gott; sehet, was wir können, seht was wir tun; da seht, wie Gott durch uns wirkt, 569 – und verschweigen die Wahrheit, daß es durch den Teufel geschieht. So ihr betrachtetet, wie so seltsam die Zeichen geschehen, so würdet ihr in denselben auch finden, wie euer großer Triumph beschehen sei, und das Geschrei, nicht durch euch, sondern durch den, der leidet.

Nit weniger soll der Arzt eines guten Glaubens sein. Denn der, der eines guten Glaubens ist, der lügt nicht und ist ein Vollbringer der Werke Gottes. Denn so wie er ist, so ist er sein selbst ein Zeugnis; das ist: du mußt in Gott eines ehrlichen, redlichen, starken, wahrhaftigen Glaubens mit allem deinem Gemüt, Herzen, Sinn und Gedanken, in aller Liebe und Vertrauen, sein, – alsdann, auf solchen Glauben und Liebe wird Gott seine Wahrheit nit von dir ziehen und wird dir seine Werke glaublich, sichtlich, tröstlich offenbar machen. Nun aber, so du gegen Gott nit eines solchen Glaubens bist, so wird es dir in deinen Werken abgohn und du wirst darin Mangel haben; nachfolgend hat das Volk alsdann auch keinen Glauben in dich. Auf das folgt, daß du dem Volk offenbar würdest, wie du gegen Gott in deinem Glauben stehest. Denn wenn sie dich unwahrhaftig, lügenhaft, zweiflig, unwissend finden, so können sie aus dem Vollen Grund dafür haben, daß deine Sache gegenüber Gott nichts sei und daß du ein Schwärmer in der Arznei bist, und also kann niemand deine Kunst genießen. Gleicherweise wie einer, der da predigt und lehrt das Volk und sagt ihm viel, und es geht kein apostolisch Werk nebenher, das ist der Buchstabe, der tot ist. Denn diese Predigt läßt Gott in den Schäflein oder Zuhörenden nit fruchtbar werden; er nimmt es wieder von ihnen. Denn der, der da säet, der ist nit der rechte Sämann zum Acker und säet nichts als Raden ein; ebenso ist es mit solchen ungegründeten Ärzten. Alldieweil die Arznei nichts als eine Wahrheit sein soll, so muß sie aus Gottes und auf Gottes Wahrheit gegründet stehen, und in keiner Lüge. Soll ich denn dann im Unrecht sein, wenn ich den Grund dahin setze, daß Gott der Lehrer der Arznei sei, das ist in der Weise, daß er sie erschaffen hat. Drum soll der 570 Arzt vom Volk seinen Glauben haben, – so hat er ihn auch bei Gott, denn von dir zu Gott, vom Volk in dich will Gott, daß alle Teile in der Wahrheit stehen sollen und leben. Und alle Künste auf Erden sind göttlich, sind aus Gott und nichts ist aus anderem Grund. Denn der Hl. Geist ist der Anzünder des Lichts der Natur, darum kann niemand die Astronomie, niemand die Alchemie, niemand die Medizin, niemand die Philosophie, niemand die Theologie, niemand die Artisterei, niemand die Poeterei, niemand die Musik, niemand die Geomantie, niemand die auguria und das andere alles lästern. Denn warum? Was erfindet der Mensch aus sich selbst oder durch sich selbst. Nicht ein Plätzlein an ein Paar Hosen zu setzen. Was erfindet der Teufel? Nichts auf Erden, gar nichts, nit so viel, daß man eine Laus auf dem Haupte töten oder fangen könnte. Was aber in uns erfunden wird durch das angezündete Licht der Natur, – alsdann so ist der Teufel der Wegweiser, der alle Dinge, so uns Gott gibt, sich zu fälschen untersteht, sie zu Lügen zu machen und zu Betrügerei, woraus dann alle Handwerke Hinderungen empfangen; die Alchemie ist verführt und in die lügenhafte Sprache und falsche Lehre gebracht worden, desgleichen die Geomantie auf einen falschen Grund gesetzt, die Medizin aus ihrem rechten Gang gebracht worden. Und so hat der Teufel die auguria auch verwandelt. Und er ist ein Lügner und die Lüge allein, und Gott die Wahrheit, und Gott gibt und lehrt uns die Wahrheit, und der Teufel untersteht sich von stundan Gott dadurch zu schmähen und ihn zu einem Lügner zu machen, und verführt die in Gott schwachen Gläubigen und führt sie in Irrtume, auf daß sie von Gott abfallen und in der Kunst Lügen finden und Gott als Lügner strafen, und so mit Lügen ihre Zeit verzehren und umgehen, und suchen und grübeln, und daß sie doch ohne das Finden der Wahrheit sterben. So wißt, daß der Arzt hierin ein Aufmerken haben soll, denn nicht auf des Satans Grund sondern auf den Grund Gottes ist er gebaut, und 571 soll stetig unverrückt in der Wahrheit wandern. Und ich melde, daß die Fakultäten und alle Ärzte in der Lügnerei wandeln und mit Gewalt darin liegen, und die Lüge für einen Grund halten und achten, und auf ihr bleiben. Und sie heißen es eine Wahrheit, – die doch erlogen ist. Und so muß der Vater der Lüge, der Satan eine Säule der Arznei sein, so es doch Gott sein soll und nicht der Satan. Und ob ihr auf solcher Säule recht steht, das merkt und erfahrt ihr daran, wie nahe ihr Gott seid oder wie weit von ihm entfernt, und daß ihr die Lügensäule Gott zulegt, und euch selbst dem Teufel also ergebt und sein Reich erhaltet.

Und nicht allein in den gemeldeten, seinen Leib betreffenden Tugenden, sondern auch in weiteren den Leib betreffenden Dingen sich rein und keusch halten, nicht seine Arznei zur Hoffart brauchen! Denn aus dem wächst ein falscher Arzt. So bald der Arzt im Sinn hat, seinen Gewinn anders als aus reinem Herzen zu brauchen, steht er auf falschem Grund. Drum gebührt dies Gut nicht den Huren. Denn was davon den Huren gehört, wird nicht aus dem rechten Grund gewonnen; denn Gott läßt das aus ihm gewonnene Gut den Huren und Buben, weil Huren und Buben nicht fruchten und werden. Denn anders ist es ein gewonnen Gut eines Arztes, anders ein gewonnen Gut eines Kriegsmannes, anders ist eines Arztes Gut gegen eines Königs Gut, einen andern Auftrag hat ein König mit seinem Gut, einen andern Auftrag der Arzt. Nun ist des Arztes Auftrag nichts anderes, als sein Gut zur Ehrbarkeit hin zu ordnen. Wenn ers dahin ordnet, so ist er eines guten Grundes; wenn er das aber bricht, und wenn er schon seine Ehefrau dem Bilde der Hure gleich machen wollte, seine ehelichen Kinder den Königen gleich zieren und sie in die Hoffart richten, so ist doch sein Gut nicht aus gutem Grunde gewonnen, nicht aus dem Grunde von Gott, sondern vom Teufel, der ihm Kranke macht und gibt, und sie ihm auch gesund macht.

Was meint ihr Ärzte, – wenn ihr schon von einem eine rechte Kunst lernt und ihr seid Buben und gebraucht sie zur Büberei, – es ist aus dem Teufel. Die Kunst ist aus Gott, euer Brauch und Wesen aus dem Teufel. Und wenn ihr nun damit viel gewinnt, es ist gleich wie einer, der mit gestohlenem Gute gewinnt und wird mit gestohlenem Gut reich; was ist der bei Gott?! Ein Dieb. So habt ihr etliche Künste inne. Nicht als Arzt, sondern als die, die sie den Ärzten gestohlen haben, und weil euer Herz sich dermaßen mit Stehlen nähren, führen und begehren will, so läßt euch Gott auch die Nahrung in der Gestalt geschehen. Aus Gott werden alle Menschen genährt und geführt, und Gott muß uns ernähren, sonst vermag uns niemand zu nähren. Aber wie ein Herr mit seinen Knechten, wess' Sinns ein jeglicher ist, darnach hält er ihn; so Gott auch. Will sich einer mit Wahrheit nähren, so gibt ihm Gott in der Wahrheit genug und gibt ihm mit der Wahrheit seine Nahrung, denn er ist uns schuldig die Nahrung zu geben. Die gibt er uns, wie wirs haben wollen. Wollen wir es mit Lüge haben, so werden die Wahrheiten bei uns Lügen, und wir leben als Lügner. Nun gibt Gott den Lügnern ihre Nahrung ebensowohl wie den Wahrhaftigen, denn er muß uns alle ernähren, Gute und Böse, wie er es mit der Sonne und Erde und allen Geschöpfen beweist. Also soll der Arzt rein und keusch sein, das ist: so ganz, daß sein Gemüt zu keiner Geile, Hoffart, Argem usw. oder dergleichen stünde, noch das sein Fürnehmen sei. Denn die selbigen, die in solcher Lüge stehen, offenbaren lügenhaftige Werke, verlogne Arbeit, und alles, das falsch ist, ist bei ihnen, und sie nähren sich so mit Lügnerei; das ist kein Grund der Arznei, sondern die Wahrheit soll ein Grund sein. Dieselbige ist rein und keusch, und alle ihre Früchte aus diesem Gut bleiben rein und keusch, und kein Makel der Hoffart, des Neides, der Geile, der Unkeuschheit, des Übermuts, des Pompes, der Pracht, des Ansehens, des Spiegels usw. ist an ihnen. Wenn ich euch hierauf den Grund des Arztes vorlege, so sagt ihr, ich sei unsinnig, niemand wisse, was ich rede, ich sei besessen; ich bin des Sinnes, die Dinge vorzubringen, daß man es wohl

572

573 verstehe, und ihr sagt, es diene nit zur Sache. Fragt die Bauern darüber, ob es nit zur Sache diene, oder ob es nit die materia sei, die euch zuwider ist.

Damit der Arzt ganz werde und in vollkommenem Grunde stehe, so wißt, daß er in allen Dingen mit bequemer Ordnung handeln soll. Nun ist von der Bequemlichkeit zu schreiben, daß sie sei congruitas, das ist: nach der gesetzten Ordnung der Natur und nit der Menschen handeln. Denn der Arzt ist nit dem Menschen unterworfen, sondern durch die Natur allein Gott. Nun folgt hierauf, daß diese Bequemlichkeit und Bestimmung der Ordnung aus der Art des Leibes wie auch aus dem Licht der Natur gehen soll: denn der Leib hat ein ander Licht an sich selbst, wieder ein anderes ist das Licht der Natur, die Art betreffend. Nun sollen sich diese Arten zusammenfügen. Weil nun Gleiches zu Gleichem kommen soll, das ist congruitas, so daß eins das andere recht angreife, eins auf das andere laute, so sollt zuerst ein Wissen um die Art des Leibes vorhanden sein. Wenn der Leib naturt und gezogen ist, so braucht er zu keinem Arzt. Denn der gezogene Leib ist anders und kein Kind mehr, das in die Lehre geht; der gezogene Leib ist der ausgewachsene Leib, in fremden Dingen. Der ist ausgewachsen, der sich selbst empfindet: der ist fremd, der in ein Unbekanntes geht. Es ist die An des Lichts der Natur, daß sie dem Menschen in der Wiege eingeht, daß sie mit Ruten in ihn hineingeschlagen wird, daß sie am Haar herzu gezogen wird, und geht dermaßen in ihn hinein, daß sie kleiner als das Senfkorn ist und wächst größer auf als der Senf. Dieweil nun der Senfbaum Vögel auf sich sitzen sieht und war der kleinste unter allen, was ist seine Bedeutung anderes, als daß das jung in uns kommt, das im Alter groß wird und so groß, daß der Mensch nicht allein für sich selbst da ist, sondern auch für alle anderen. Auf dieses nun: Weil der Mensch ein Baum werden und diese Lehr Christi und das Exempel vom Senfbaum erfüllen soll, – ein alter ausgewachsener Baum kann nichts mehr fassen 574 und ist diesem Senfkorn gegenüber so gut wie tot. Weil er nun tot ist und ist nichts, und das Exempel lautet auf das Senfkorn und nit auf das Holz und die Äste, – wie kann dann aus einer alten Tanne ein Kütten oder Sprößling wachsen? Oder aus einem alten Lorbeerbaum ein junger Holunder? Es ist nit möglich. Noch viel unmöglicher ist es, daß ein alter Korrektor in einer Druckerei, ein alter Conventor in einer Logiker-Burse, ein alter pater in einer Schule Arzt werde, denn der Arzt soll wachsen. Wie können die Alten noch wachsen? Sie sind ausgewachsen und verwachsen und im Moder vermoost und verwickelt, so daß nichts als Knorren und Knebel daraus werden. Darum, wenn ein Arzt auf einem Grunde stehen soll, so muß er in der Wiege gesät werden wie ein Senfkorn, und darin aufwachsen, so wie die Großen vor Gott, so wie die Heiligen vor Gott, und müssen so wachsen, daß sie in den Dingen der Arznei wie ein Senfbaum zunehmen, daß sie über alle hinaus wachsen. Solches muß mit der Jugend aufgehen und muß wachsen. Wie wächst es denn bei den alten Vätern auf, die verwachsen sind, und sie treten einher, und die Zeit ist hin, sie haben nit geblühet, haben nit gesproßt, haben nit ausgeschoßt, sind nit im Märzen gewesen, wissen vom April nichts, wissen nicht, ob der Mai blau oder grün sei, sind in den Heumonat gekommen und haben wollen Frucht tragen. Das sind die Zeitlosen, das ist Kunstlosen, die im Herbst wachsen. Drauf wißt, daß congruitas da sein soll; nit wie sie es verstehen, sondern wie ich es anzeige, daß die Art des Leibes soll mit der Art des natürlichen Lichts aufwachsen, so gleichen sie sich selbst zusammen. Denn der Mensch kann sie nit zusammensetzen und -ordnen, denn das ist nicht seines Vermögens. So soll der Grund von Jugend auf stehen und befestet werden, und was nit zu seiner Zeit gesät wird, da wird kein guter Trieb draus. Das sind die Ärzte, die von wilden Apfelbäumen auf Weidenstöcke veredelt werden, haben weder Kern noch Samen; wenn man sie sät, so geraten sie zu dem, das sie begehren.

Es mag auch nit ohne sein: wo der Grund eines guten Arztes ist, daß da auch die Treue mitläuft und vollkommen sei, nit eine halbe, nit eine geteilte, nit ein Stückwerk, sondern eine ganze, vollkommene Treue. Denn so wenig in Gott die Wahrheit geteilt oder gemischt werden kann, so wenig auch die Treue. Denn das sind Dinge, die sich nicht teilen lassen, so wenig wie die Liebe, denn Treue und Liebe ist ein Ding. Worin aber liegt nun die Treue eines Arztes? Nit allein, daß er fleißig den Kranken besucht, sondern: ehe daß er den Kranken erkennt, sieht und hört, soll er in die Treue eingegangen sein, das ist: mit Fleiß und Treuen gelernt haben, was sein Anliegen sein soll. Denn hier wird die größte Treue versäumt, darin daß einer lernen will um der Pracht, um des Scheines, um des Maulgeschwätzes, um des Namens willen, und in solchen Dingen gesättigt sein möchte. Das sind alles Untreuen und ist außerhalb der Liebe. Denn die Liebe ist um ihrer selbst, nicht um anderer Dinge willen da. Einer lernt und befleißigt sich, sich selbst nutz zu sein, nit einem andern. Nun liegt die Treue in dem, daß man sie wisse und könne; der sie nit kann, derselbe kann sie auch nicht mitteilen. Drum so liegt es am Lernen, damit man es könne. Weil es nun am Lernen liegt, im Erfahren, so muß sie angefangen werden, zuvor und ehe die Kranken da sind. Wenn sie da sind, so ist darnach das Zeigen und Oben der selben Treue da, das ist das Werk der Treue. Nun aber vom Lernen und vom Anfang des Werkes wißt, daß keiner ein Arzt werden kann ohne Lehre, ohne Erfahrenheit, nit in einer kurzen Zeit, sondern in einer langen Zeit. Denn lang ist die Zahl der Krankheiten, und sehr viel und mannigfach. Denn niemand wird ohne Lehr und Erfahrenheit, und

575

die gar lange und eingehend, ein Arzt. So wenig, wie vor dem Maien die Blüte ausschlägt, vor der Ernte das Korn zeitig wird, vor dem Herbst der Wein, ebenso wenig kann die Zeit in einer jeglichen Erfahrenheit verkürzt werden. Nun reicht die Erfahrenheit von der Jugend an bis in das Alter und bis nahe an den Tod; nit zehn Stunden lang bleibt einer unbelehrt. Wie wollen dann die alten patres, die erst in der Mitte ihres Lebens herein-
576 kommen, zur Ernte und zum Herbst kommen? Es hilft ihnen nicht: ich bin auch sonst und vorher in diesem und jenem recht gelehrt gewesen, – diese Dinge alle dienen nicht der Treue zu den Kranken, sondern der Förderung deines Eigennutzes und dir selbst treu, dem Kranken untreu zu sein. Nicht das selbige, sondern die Arznei sollst du wissen, das sind die Treuen zu den Kranken; die anderen gehören allein dir und deiner Frau, – wie ein Roßdreck, der neben den Äpfeln schwimmt. Der Grund, den du so hereinziehst, ist ein sandiger Grund, auf den du nichts bauen magst noch kannst. Weil nun kein fremder Grund hier in der Arznei etwas taugt, sondern allein der von Jugend auf eingebildete Grund lauterer Arznei, so wisse hierüber: wie schwer und hart es einem Kranken ist, einem solchen Conventor, Schulmeister, Provisor und dergleichen Pater, (die da allein verzweifeln machen), hierin ihnen zu vertrauen, dieweil alle Handwerke, Schuhmacher, Kürschner usw. von Jugend auf darin erzogen sein müssen, und mit noch mehrerem Fleiß von der jungen Jugend auf Maler, Bildschnitzer, Goldschmiede. So das bei den Handwerkern so ist, noch viel mehr ist es in der Arznei, die mehr Lernens bedarf denn diese alle. Und ebensowenig wie du einen geschickten und sehr gelehrten Meister von der Hohen Schule von Leipzig oder von Wien nehmen kannst, der nun sehr hoch gelehrt ist, und kannst aus demselben Gelehrten einen noch geschickteren Schuhmacher machen als du bist, ebenso wenig gibt er auch einen geschickten Arzt, sondern viel tölpischer als geschickt. Und wie ein Esel auf der Leiern, so sind sie im Pulsgreifen und Fühlen an der Stirn, ob sie brenne oder nicht. Darauf wißt, ihr Ärzte, daß ihr, so spät anfangend, die Treue nicht vollkommen lernt noch fertig bringt, und daß euch eure Sophisterei und Philosophie nichts hilft. Denn euch hängt das Doktorat so an wie einem Bauern der Adel; das ist (eure Rede): ich bin edel, ich bin Doktor. Wie könnt ihr alten Schreiberlinge treu werden? Ihr könnt doch in euern alten
577 Tagen nicht Treues erlernen. Saturn ist zu stark wider euch.

Weiter soll der Arzt kunstreich sein. Der da kunstreich sein will, der muß in allem seine Erfahrenheit haben, denn der Grund deiner Künste geht aus der Kunstreiche; das ist, versteh, nicht der Grund der Lehre, sondern der Grund der arzneiischen Kunst. Denn wie kannst du etwas beurteilen, wenn du das nicht aus anderm urteilen kannst. Ein Urteiler soll sein Urteil, das er innen gibt, von dem außen nehmen. Der versteht die

Kunst, der kunstreich ist, und der kann in ihr nichts beurteilen, der nicht kunstreich ist; aus anderem wird das, das beurteilt werden soll, verstanden. Nun, wie kann ein Arzt ohne Kunstreiche sein, weil in ihm die größten Arkanen, ihm bekannt, liegen und wohnen sollen. Denn die größten Arkanen sind durch die Klugen aufgegangen. Was ist nun Kunstreiche eines Arztes? Daß er wisse, was den unempfindlichen Dingen nutz und zuwider sei, was den beluis marinis, das ist den Meerwundern, was den Fischen, was den brutis, das ist Vernunftlosen, angenehm und unangenehm sei, was ihnen gesund und ungesund sei. Das ist Kunstreiche, die natürlichen Dinge betreffend. Was mehr? Die Wundsegen und ihre Kräfte, von wannen oder aus was sie das tun; was sonst sei; was die Melusine sei, was die Syrene sei, was permutatio, das ist Veränderung, transplantatio, das ist Verpflanzung, und transmutatio, das ist Vertauschung, sei, und wie sie mit vollkommenem Begreifen zu verstehen seien, was über die Natur sei, was über die Art sei, was über das Leben sei, was das Sichtbare und das Unsichtbare sei, was die Süße und was das Bitter gebe, was da rieche, was der Tod sei, was dem Fischer diene, was dem Lederer, was dem Gerber, was dem Färber, was dem Schmiede der Metalle, was dem Schmiede des Holzes, das ist dem Holzarbeiter, not zu wissen sei; was in die Küche gehört, was in den Keller gehört, was in den Garten gehört, was der Zeit angehört, was ein Jäger weiß, was ein Bergmann weiß, was einem Landfahrer zusteht, was einem Ansäßigen zusteht, was Kriegsläufe bedürfen, was Frieden mache, was den Geistlichen, was den Weltlichen Ursache (ihrer Einsicht) gebe, was jedweder Stand mache, was jedweder Stand sei, was jedweden Standes Ursprung sei, was Gott, was der Satan sei, was Gift, was Gegengift sei, was in Frauen, was in Mannen sei, was Unterschied zwischen Frauen und Jungfrauen sei, zwischen gelben und bleichen, zwischen weißen und schwarzen und roten und falben in allen Dingen, warum die Farbe da, eine andere da, warum kurz, warum lang, warum geraten, warum verfehlt, und was diese Adepterei in allen Dingen anbetrifft. Nit daß dies Arznei sei, sondern eine der Arznei angehängte Eigenschaft. Gleicherweise wie es eine Eigenschaft eines gerechten, ausgewählten Apostels ist, daß er die Kranken gesund macht, die Blinden sehend, die Lahmen gerade, und die Toten auferweckt, – so hangen auch solche Dinge am Arzt. Wie aber will dann so ein alter, ehrbarer, betagter Mann, der da in casualibus, in temporalibus verlegen ist, diese Dinge erfassen? Der da eine lange Zeit braucht, allein die Namen, die mit der Rute hätten gelernt werden sollen, zu lernen? Auf solchen Dingen aber steht der Grund der Arznei, daß ein Arzt solcher Dinge Wissen haben muß. Denn mehr ist an einem Arzte denn an den Menschen anderer Fakultäten gelegen, mehr an einem Arzte denn an andern dergleichen Dingen. Wenn also mehr an ihm gelegen ist, ist er auch mehr, mehr soll er auch

sein, mehr soll er auch wissen, denn er soll ein Vater der Philosophie und Astronomie sein. Wie können diese alten Schüler, Apotheker und andere, die erst mit der Zeit in die Arznei kommen und den Grad erlangen, wohl bestehen und wohl gegründet sein?! Alters halben hätte es keine Not, wohl aber der Kunst halben; da ist das Gebrechen. Das ist keine Kunst, Doktor und Meister zu werden; das Geld tuts. Das ist eine Kunst, wahrhaftig Doktor und Meister zu sein. Wessen berühmt ihr professores und promotores euch in euren discipulis? Wenn sie Doktor werden, so sagt ihr: er ist zu Leipzig mein Schüler gewesen, hat bei mir Avicenna, Galen usw. gehört und die Aphorismen des Hippokrates usw. und viel gute Dinge, – doch an dir und deinem Ding ist nichts Gutes darin. Was hat er denn Gutes von
579 dir gelernt? Erlähmen auf beiden Seiten. Das wäre wohl des Berühmens wert, wenn ein doctor, promotor, praeceptor etc. seinen auditores die secreta der Wahrheit lehrte. Hier läge der Butz (des Apfels); da könnte sich der auditor, das ist Hörer, freuen und sagen: das hab ich. Aber ach Gott, diese secreta sind klein bei euch, so daß ihr euch derselben schämen müßt. Ihr laßts also gut sein mit den toten Büchern, aus denen bei euch nie ein wahrhafter Arzt erstanden ist. Der sich seines Schülers mit Ehren berühmen will, der muß ihm mehr als den Plunder Avicennas und die Possen Galens usw. und das mare magnum des Jakobus de Partibus mitteilen.

Obwohl die Dinge alle von den Kranken zerbrochen werden können, denn Ursach: ihr seht, daß die Dinge alle in denen gewirkt werden oder die Wirkung vollbracht werden soll, da müssen sie dazu auch geschickt sein; wo nicht, so wird in dem selben nichts ausgerichtet. Weil nun das alles im Arzt vorhanden ist, und nun am Kranken so viel liegt, soll er zu empfangen geschickt sein, – ohne welche Geschicktheit nichts erfolgen kann. Drum wißt, was im Kranken sein muß: eine natürliche Krankheit, ein natürlicher Wille, eine natürliche Kraft, in diesen dreien steht das Vollendendes Werkes des Arztes. Wenn nun etwas anderes im Kranken als dieses ist, so wird er vom Arzte keine Heilung erwarten können. Denn die, die Christus gesund gemacht hat, mußten geschickt sein zu empfangen; der Ungeschickten ward nie einer gesund. Noch viel mehr ist es hier einem Arzte zu erkennen not, daß seine Kranken der Geschicktheit sein sollen, denn die Kraft des Arztes ist kleiner als die Gottes. Gott hat eine Austeilung über die Menschen und über die Natur getroffen, die niemand ermessen oder ergründen oder erfahren kann, in was ein jedes eingeteilt worden ist. Den Menschen ist ein Großes bei Gott nicht wissend. Das geht aber den Arzt nicht an, sondern allein das geht ihn an, daß er nichts als durch Gott gewollt verantworte. Denn niemanden ist es möglich zu erkennen, wo Gott fördert oder hindert. Der Arzt soll in des Himmels, des Wassers, der Luft
580 und der Erden und aus den selbigen des Mikrokosmos Erkenntnis stehen,

und auf solcher Erkenntnis vor seinem Gewissen bestehen, nichts Gott entziehen noch zulegen, alle Zeit Gnade und Barmherzigkeit erwarten. Denn hat er der Sonne eine Finsternis geschaffen und dem Monde, hat er sie stille stehen geheißen, hat er einen Sündfluß über die Welt ergehen lassen, hat er täglichen Reif und Hagel angeordnet, so ordnet er in dergleichen Dingen auch seinen Willen, und will dabei nicht, daß seine Arznei, seine Schöpfung gelästert oder geschmäht oder untauglich genannt sei; sie sei nicht genügend, sondern sie ist aller Kräfte voll. Das aber ist in diesem Zusammenhange auch sein Wille, so will er nach seinem Willen handeln und der Natur ihre Kraft nicht nehmen, aber sie still stehen lassen; so wie er der Sonne ihren Schein nicht nimmt, wenn Finsternisse kommen; aber die Zeit über, während die Finsternis ist, die Zeit über sieht man nichts. Während also Gott der Arznei solchen Untergang verhängt, schleicht dieweil der Tod herein und nimmt das Leben. Und darnach, wenn er fort ist, scheint die Arznei so sehr wie zuvor, wie die Sonne. In der Nacht stehlen die Diebe. Man sieht sie nicht, und es sind die geschicktesten Diebe, die stehlen, ohne daß man sieht; so schleicht der Tod, in solcher Nacht der Arznei, herein, und stiehlt das Leben, das ist: den höchsten Schatz, den der Mensch hat. Wenn Gott die Arznei nicht still stehen ließ, wie die Sonne zu der Zeit Josuah, wer könnte sterben? Viele, denen er die Gesundheit nimmt, so wie er die Sonne hinter sich gezogen hat, die will er krank haben, und will doch nit, daß sie ihn dessen zeihen. Denn so geheim sind seine Werke, daß wir es nicht meinen, nicht wissen, empfinden, und nicht »woher« wissen, – und er will, daß wir der Arznei unterworfen sein sollen, daß wir in uns rein seien, daß wir keinen Argwohn auf ihn haben und tragen. So guten Willens sollen wir sein und so beherzt gegen ihn, daß wir ihm solches nicht zutrauen sollen, sondern der Natur die Schuld geben, und für und für in die, durch seine Arznei, arbeiten, in dem Glauben, daß alles, was der Arzt tue, daß es durch Gott getan, vollbracht oder gehindert sei. 581 Solche Treue und solches Herz, Hoffnung und Vertrauen, soll der Kranke Gott gegenüber haben, auf daß er nit in Ursache der Finsternis falle, in der der Tod kommt, in der die Sonne zurückgezogen wird oder gar ein Sündfluß vorsichgehe. Denn hat er der ganzen Welt (die Sünde) nit übersehen, wie wollte er sie dann einigen übersehen, und das in der Stille und verborgen. So offenbar damals der Sündfluß war und allen Kreaturen bekannt, so verborgen sind nach diesem solche beschlossene Urteile, so daß der Mensch selbst ohne das ausgesprochene Urteil Gottes von dieser Welt abscheidet.

Weil nun der Arzt so hoch und fest angesehen werden soll, gegründet auf solche starken Gründe und Fundamente, so wißt hierbei, daß kein Arzt auf einem Grunde außerhalb der angezeigten vier Gründe bestehen kann, weil so viel an einem Arzt liegt, daß Gott durch ihn wirkt und ihn haben will, und er das Lob und das Leid der Arznei tragen soll, – das Lob, indem er genießt, durch was man Gott preist, nachfolgend das Leid, das ist: wenn ihm die Arznei gestellt wird. Weil der ein Dieb ist, der ihm den Kranken stiehlt, so duldet sie Gott in keinem falschen, daß solche weder Freude noch Leid von ihm tragen sollen. Darum wißt hierin auch, daß die Ärzte, die sich mit der Arznei allein zu erhalten begehren, weiter nichts ergründen noch erfahren. Wenn nun diese Ärzte, die Gott ernähren muß, nach ihrem Willen mit Lüge wirken oder töten, will das Gott nicht, daß das auf ihn gelegt werde, sondern dem selbigen Arzt wird der Mord zugeteilt, seine Freude, sein Leid als ein Ding, Arges und nichts Gutes. Denn Gott will nicht, daß die Arznei durch solche falschen Leute erhalten werden soll. Darum ist zu betrachten, in was Grund und Weg der Arzt wandeln soll, und daß ich euch billig den vorhalte, dieweil ihr das sein wollt, das ihr mit nichten seid, und wollt den Grund verwerfen, auf den ihr gebaut sein sollt und ohne den ihr nicht stehen könnt noch Platz habt.

Nun berechnet es euch von mir, aus was ich rede und schreibe und was mein Grund sei, und deren, die ihr aus meiner Sekte zu sein nennt, wieviel ehrlicher und statthafter sie gegründet seien denn ihr, die da nichts anderes wissen als auf das Papier zu zeigen, das aus alten Hadern gemacht wird und im nächsten Wasser zergeht. Und wie das selbige ist, so ist es auch eine Haderei, was ihr darauf findet, und ist eine Lehr der Hadern und Lumpen. Das Papier ist der Acker, in den die Raden gesät werden, und ihr seid der Raden Arzt, denn ihr klaubt allein heraus, das nichts taugt; das was taugt, das zertretet ihr. Darum, weil die Raden fetter stehen und ansehnlicher in ihrem Ansehen als der Weizen, müssen sie eure Apotheken füllen und in Ehren halten, und euch bei euerm Namen. Und ihr seid doctores, wie die simplicia sind; sie sind faul und gerodiert, das ist zerfressen, verlegen, wurmstichig, und niemand ist unter euch, der wisse, was in ihnen sei. Also wie ihr nichts in ihnen wißt, so weiß man und findet man auch nichts in euch, außer dem, das in den Apotheken beschrieben ist, und ist auch an euch das beste. Und weil ihr auf solchen ungründigen Grund gebaut seid, so wißt ihr nichts. Und so bald ein kleiner Schweiß kommt, so stockt ihr und wißt nit, wodran ihr seid, und Doktor (Theoprast, der) Schweizer, den ihr verachtet, ist euer aller Meister. Und ihr lest und lest, lernt und lernt, und könnt nichts. Was seid ihr anders denn die aus der Zahl der Jungfrauen, die das Öl ihrer Lampen verschüttet hatten, kamen zu den andern und wollten welches entleihen?! Ebenso seid ihr doctores; all eure Büchsen sind ausgeschüttete Lampen, und wenn ein fremder Doktor kommt, so sprecht ihr: Lieber, lehr mich etwas, meine Lampen wollen nicht brennen; ich hab kein Öl, ich hab keinen Saft, und so ich, ich und ein anderer, der euch nit als Narren kennt, der selbige teilt euch mit, – und wir machen uns damit selbst unsere Feinde. Wenn wir aber nach der Jungfrauen-Parabel lebten und gäben euch nichts, und ließen euch Stadtärzte, Fürstenärzte und andere auf den Polsterdecken sitzen und euch um euer Ampelöl usw. selbst sorgen, so würdet ihr inne werden, was ihr erlangen würdet. Und wenn wir Landfahrer (die ihr uns so heißt) nit wären, wie große Morde geschähen durch euch? Wie viele der Verderbten bringen wir wieder auf? Und da ihr seht, daß in solcher Erfahrenheit so viel liegt, schickt ihr eure Raden auch auszuwandern aus; so habt ihr jetzt das Wandern auch betrogen und beschissen, also daß ihr nit allein die Heimischen, sondern auch Fremde und Heimische bescheißt und betrügt. Will euch also hiermit meinen Grund vorgehalten haben, guter Hoffnung, ihr werdet eure Augen auftun und zu erkennen wissen, was eure Kunst und Arznei sei, (will aber doch) die auditores, daß sie euch nit zufallen, ermahnt haben.

Dixi.

Sieben Defensiones

Die Verantwortung über etliche Verunglimpfungen durch seine Missgönner

Vorrede an den Leser durch den hochgelehrten Herrn Aureolum Theophrastum von Hohenheim, beider Arznei Doktorn

Leser, damit ich dir berichte, warum diese defensiones von mir geschrieben worden sind, merke dies: Gott hat den Geist der Arznei durch Apollinem, durch Machaonem, Podalirium und Hippocratem gründlich angefangen werden lassen, und hat das Licht der Natur ohne einen verfinsterten Geist wirken lassen, und es sind trefflich wunderbare große Werke, große magnalia, große miracula aus den mysteriis, elixiriis, arcanis und essentiis der Natur vollendet worden, und ist in etlichen frommen Männern, wie obgemeldet, die Arznei wunderbarlich empfangen worden. Weil uns aber der böse Feind mit seinen Raden und Unkraut nichts im lauteren Weizenacker wachsen läßt, ist die Arznei von dem ersten Geist der Natur verfinstert worden und in die Widerärzte gefallen und mit Personen und Sophistereien hin und wieder so verhaspelt worden, daß niemand dahin, in das Werk, hat kommen können, in welches Machaon und Hippocrates gekommen sind. Und was in der Arznei nicht mit Werken probiert, das ist erprobt, wird, das hat seine Disputation, das sind Geltungsgründe, verloren und gewinnt im Arguieren, das ist im Beweisgespräch, noch minder. Nun, mein Leser, merke auf! Wenn sich wider die sophistische Legion eine wirkende Doktrin setzte, ob die nicht billig (geeignet) wäre, daß das Werk das Schwätzen zu Boden legte? Rat, Leser, auf wen rede ich? Auf die Heiligen, die nicht Zeichen tun. Der Zulauf und concurs, das ist Zusammenlauf, könnte manchen erschrecken, daß er davon abstünde, dem Klapperer sein Maul zu verstopfen. Aber der Ausgang und der recurs, das ist Zurücklauf, beweisen, daß auf den concurs nichts zu halten ist. Aus dem selbigen entspringt der Irrtum, daß der Hippocrates ein Geschwätz sein muß, und der Geist der Wahrheit in der Arznei muß durch diese Sophisten ein Klapperer werden. Denn was ist, das einem Schwätzer zu viel sei?

497

Aus dieser Rotte haben sich etliche von ihrem Maul übereilen lassen und sich mit Schändworten verteidigt, denn weil sie die Arznei in das Maul gebracht haben, haben sie sich mit dem Maul, das nichts anderes denn Schänden und Lästern kann, verteidigen müssen. Solche lingua dolosa, das ist trugvolle Sprache, hat auch wider mich gestochen. Es ist aber von nöten, dieweil sie nit auf den ersten Felsen der Arznei gebaut sind, sondern haben sich auf einen Küchenfelsen gesetzt, die Wahrheit der arzneiischen Kunst vergessen haben, und mit ihren sophistischen fabulis mich und andere in ihren Larven umtragen, ihnen solches nit ohne Antwort zu lassen. Wäre aber einer auf das erste Zentrum gewidmet, das ist: ihm zugeordnet, solche Scheltworte gingen von ihm nicht aus. Ihre beste Kunst ist ihre Rhetorik und die Gevatterschaft derselben, und die Tugend, die den pseudomedicis anhangt. Drum, Leser, folgen hernach auf sie die Antworten, auf daß du dich in den selbigen zu bescheiden wissest, das ist: auskennst. Obwohl die Sachen solcher Leute zu verantworten nit not wäre; man ließe sie einfach poetische Ärzte bleiben, rhetorische Rezeptschreiber und nebulonische Praeparierer; mit der Zeit würde man ihrer müd werden, – aber damit das verstanden werde, daß ein Arzt ohne Werk nichts taugt und daß das Werk der Arzt sei, nicht das Schwätzen, hier zu einer Unterrichtung, ist solches von mir geschehen. – Darum, lieber Leser, bin ich auch gehindert worden, daß meine Schriften nicht an den Tag kommen sollten. Habe jedoch Kärnten, das Erzherzogtum, mit ihnen verehrt. Wenn es durch die selbigen löblichen Herren an dich gelangen wird, wo du auch in der Welt solches empfängst, ohne diese Landschaft käme es dir, Leser, nit in die Hand. Liebe deshalb die theoricam in diesem Werk, ja noch viel mehr die Werke der Kunst. Gegeben zu Sant Veit in Kärnten am 19. Tag augusti der mindern Zahl 38. 498

Die erste Defension der Erfindung der neuen Medizin doctoris Theophrasti

Daß ich hie, in diesem Werk, eine neue theoricam, auch physicam, mit samt neuen rationibus, welche von den philosophis, astronomis auch medicis bisher nie gehalten noch verstanden wurden hereinbringe, geschieht aus der Ursachen, deren ich euch jetzo unterrichten werde. Eine nämlich, die sich genugsam beweist, ist, daß die alten theorici die rationes und causas morborum ungewiß und ungerecht beschrieben haben, und damit einen solchen Irrsal eingeführt und denselben dermaßen bestätigt haben, daß er für recht und unwidersprechlich gehalten und geachtet worden ist, und ist so eingewurzelt und dermaßen gehalten und erhalten, daß keiner weiter ein anderes suchte, oder das selbige ein Irrsal zu sein geschätzt hat. Solches darf ich euch wohl zu erkennen geben, denn ich muß es eine große Torheit zu sein urteilen, alldieweil der Himmel für und für, im Lichte der Natur, ingenia, neue inventiones, neue artes, neue aegritudines gebiert und macht, – ob dieselben nicht auch sollten gelten? Was nutzt der Regen, der vor tausend Jahren gefallen ist? Der nützt, der jetzt zugegen, fällt. Was nützt der Sonnenlauf vor tausend Jahren dem jetzigen Jahr? Sagt nit Chri-

stus die Auslegung, wie wir das beurteilen sollen, so sprechend: es ist genug, daß der Tag sein eigen Joch trage, das ist so viel geredet: es ist genug, daß du das tust, das der selbige Tag gibt, und weiter beschließt, der morgige
499 Tag trägt auch seine Sorge, für sich selbst. Wenn nun die Sorge für sich selbst geht, und ein jeglicher Tag hat zwölf Stunden, und eine jegliche Stunde ihre besondere Wirkung, was schadet die zwölfte Stunde da der ersten? Oder welcher Nachteil ist der ersten die zwölfte, wenn ein jeglich Ding nach seiner Zeit in seine eigene monarchiam gesetzt ist? Auf das jetzige sollen wir sorgen und nit auf das vergangene. Und eine jegliche monarchia ist mit vollkommenem Licht der Natur versorgt. Und so sind die Wunderwerke Gottes: daß das Licht der Natur in den vielen monarchias zwischen dem Anfang und dem Ende der Welt sich ändert, was vielfach übersehen worden, und nit nach Inhalt dieser Monarchien gehandelt worden ist. Drum will ich, aus Kraft des jetzigen Lichts der Natur und aus praedestinierter Ordnung der jetzigen Monarchie in meinem Schreiben von männiglich ungestraft sein, und noch minder will ich wegen der Sophisterei, die ich ein Irrsal in der Arznei nenne, angetastet und auch behindert sein.

Ihre Torheit muß ich wegen des Erkennens meines Grundes und ihres Irrens deutlich an den Tag legen, und mich werden die Hohen Schulen hierin nicht umstoßen, – und das geb ich ihnen also zu erkennen. Die Arznei ist ein Werk. Weil sie nun ein Werk ist, wird das Werk seinen Meister bewähren. Jetzt erseht aus den Werken, wie jeglicher Teil erkannt und beurteilt wird. Das Werk ist eine Kunst, die Kunst gibt die Lehre des Werkes, so daß die Kunst durch ihre Lehre wirkt, das Werk zu machen. Nun ist die Frage, ob die Lehre der hochschulischen Ärzte die Kunst der Arznei sei oder die meine? Das wird durch die Werke erwiesen. Nun bemerkt, was Christus in unserer Philosophie auch vorbringt und uns das selbige zu verstehen auch notwendig ist, (Christus), der nicht allein das ewige Licht unter uns tödlichen Menschen erneuert hat, sondern auch das natürliche Licht, da er spricht: es werden aufstehen falsche Propheten, falsche Christen usw. und werden viel Zeichen geben und tun. Obgleichwohl falsche Ärzte auch Zeichen tun, wie sich befinden läßt, so sind sie doch
500 nicht wider die rechte Arznei. Denn gleicherweise wie Moses und die malefici in ihren Werken gegeneinander standen, so auch der rechte und der falsche Grund der Arznei. Wenn ich nun meinem adversam partem eine rechte Anweisung gebe, und mich in den Werken zu erkennen, und die Werke in den falschen auch gefunden werden, wie Christus De prodigiis et signis vorbringt, so will ich euch darin den Unterschied zeigen. Es wäre ein Kranker mit einem Fieber vorhanden, der hätte seinen Termin in zwölf Wochen, alsdann wäre es im Ende und Abzug, und es begäbe sich, daß der Kranke begehrte, dieses Fieber vor seinem Termin zu vertreiben, so

hätte er zweierlei Ärzte vor sich, den falschen und den geredeten. Der falsche handelt so: er fängt gemächlich und langsam zu arzneien an, verbraucht viel Zeit mit syrupis, in laxativis, mit Purgazen und Habermüslein, mit Gerste, mit Kürbissen, mit citrulis, das ist Zitronen, mit Julep und anderem solchen Geschmeiß, langsam, mit der Zeit, und oft dazwischen cristiert, weiß selbst nit, womit er umgeht, und schleicht so mit der Zeit und mit seinen sanften Worten dahin, bis er auf den Termin kommt. Aber den gerechten Arzt erkennt so: diesen terminum teilt er in zwölf Teile, den einen und den halben nimmt er zu seiner Arbeit vor usw.

Weiter ist noch ein großer Unverstand, der mich, dieses Werk zu schreiben, mächtig verursacht. Nämlich daß sie sagen: die Krankheiten, welche ich in diesem Werk beschreibe, seien unheilbar. Nun seht da ihre große Torheit! Wie kann ein Arzt sprechen, daß eine Krankheit, in der nit der Tod ist, nit zu heilen sei?! Allein die sind unheilbar, in denen der Tod ist. Aber so sagen sie von dem Podagra, so von dem Fallenden Sichtage usw. O ihr tollen Köpfe, wer heißt euch reden, wenn ihr nichts könnt noch wisset. Warum betrachtet ihr nit die Rede Christi, der sagt: die Kranken bedürfen des Arztes? Sind denn die nit krank, die ihr verwerft? Ich mein: ja. Sind sie nun krank, wie es sich erweist, so bedürfen sie eines Arztes. Bedürfen sie nun des Arztes, warum sprecht ihr dann, ihnen sei nit zu helfen? Darum bedürfen sie sein, daß ihnen durch die Ärzte geholfen werde. Warum sagen sie dann, ihnen sei nit zu helfen? Darum sagen sie es, weil sie aus dem Irrsal der Arznei geboren sind, und der Unverstand ist ihre Mutter, der sie geboren hat. Eine jegliche Krankheit hat ihre eigne Arznei, denn Gott will mit den Kranken wunderbarlich gesehen werden, wie nämlich in den Krankheiten des Fallenden Siechtages, im jähen Schlag, im S. Veitstanz, in allen andern, nit not hie zu melden. Denn Gott ist der, der da geboten hat, du sollst deinen Nächsten lieben wie dich selbst, und Gott lieben vor allen Dingen. Willst du nun Gott lieben, so mußt du auch sein Werk lieben; willst du deinen Nächsten lieben, so mußt du nit sagen: dir ist nit zu helfen. Sondern du mußt sagen: ich kann es nit und versteh es nit. Diese Wahrheit entschuldigt dich von dem Fluch, der wider die Falschen geht. Also merke: daß weiter gesucht werden muß, so lange, bis die Kunst, aus welcher die rechten Werke gehen, gefunden wird. Denn wenn Christus sagt: perscrutamini scripturas, das ist: durchforscht die Schriften, warum wollt ihr nicht auch hiervon sagen: perscrutamini naturas rerum?

So will ich mich defendiert haben, daß ich billig nach der jetzigen monarchia eine neue Medizin hervorbringe und an den Tag tue. Und wenn gleichwohl gefragt würde: wer lehrt dich das zu tun? frag ich dich: wer lehrt das heutige Laub und Gras wachsen? Denn der selbige hat gesagt:

501

kommt zu mir und lernt von mir, denn ich bin eines milden und demütigen Herzens. Aus dem fließt der Grund der Wahrheit; was nicht aus dem geht, das ist Verführung. Der Teufel ist mille artifex, in dem viel falscher signa und prodigia stecken, und der da nicht feiert, wie ein brummender Leu uns nachstreicht, auf daß er uns samt sich als Lügner innehabe.

Ihr sollt euch dess' nicht wundern, daß ich euch im Beschluß dieser Defension auf den weise und zeige, der da gesagt hat: ich bin mild und eines demütigen Herzens, um von ihm, der doch ein Lehrer des Ewigen 502 ist, die Arznei zu lernen. Was ist aber in uns Tödlichen, das nicht aus Gott an uns reiche und komme? Der das Ewige lehrt, der lehrt uns auch das Tödliche, denn beide entspringen aus dem selben, wiewohl das so ist, daß die ewige Lehre mündlich geredet hat und die Arznei nicht. Wenn er aber spricht: die Kranken bedürfen eines Arztes, und der Arzt ist aus Gott, wie kann dann der Arzt den selbigen nicht als seinen Lehrmeister, aus dem er ja ist, erkennen? Der Arzt ist der, der in den leiblichen Krankheiten Gott vertritt und verwest, drum muß er dasjenige, das er kann, aus Gott haben. Denn gleicherweise, wie die Arznei nicht vom Arzt, sondern aus Gott ist, so ist auch die Kunst des Arztes nicht vom Arzt, sondern aus Gott. Dreierlei Arten des Arztes sind: eine, die aus der Natur durch die Ärzte des Himmels in der constellierten Influenz der Conception geboren wird, wie denn auch die musici und mechanici, die rhetorici und die artes geboren worden sind. Dann ist auch eine Art, das sind die Ärzte, die durch Menschen gelehrt werden, in der Arznei auferzogen und mit der selbigen bekannt gemacht, so sehr, wie dem Menschen zu lernen möglich ist, oder nachdem er kann. Zum dritten ist eine Art, die Gott gibt, und das sind die, die aus Gott gelehrt werden, wie denn Christus spricht: es wird ein jeglicher Schreiber aus Gott gelehrt werden, was soviel ist: was wir können, das haben wir von Gott. Wenn nun die Arznei in dreierlei Weg ihre professores, das ist Beauftragte, zeigt, soll man es nicht beachten, ob sie in ihrer theorica und rationibus nicht zusammenstimmen, – im Werk kommen sie alle zusammen und am Schluß zu einem End und terminuni. Die Natur gibt ihre Art, darnach wie die Conception ihre Influenz empfangen hat, so lernt der Mensch auch nach dem und nach dem er kann; und so lehrt Gott, wie er will. Das ist aber der Beschluß in den Dingen allen, daß der Mensch, der den Menschen lehren will, sein Wissen aus Gott und aus der Natur nehmen muß, und aus demselbigen müssen die Menschen lernen.

Wer anderes lehrt denn aus diesem Gründe, der ist, wie im nächsten 503 Irrsal behandelt wird.

Die andere Defension, betreffend die neuen Krankheiten und nomina des vorgemeldeten doctoris Theophrasti

Mich zu defendieren und zu beschützen und zu beschirmen, darin daß ich neue Krankheiten, die vor nie beschrieben worden sind, beschreibe und vorweise, auch neue nomina, die zuvor nie gebraucht, sondern durch mich gegeben wurden, – warum solches geschehe? Was durch mich anzuzeigen ist wegen der neuen Krankheiten, merkt dies. Ich schreibe von dem wahnsinnigen Tanz, den der gemeine Mann S. Veitstanz heißt auch von denen, die sich selbst töten, auch von den falschen Krankheiten, die durch Zauberei zufallen, desgleichen von den besessenen Leuten. Diese Krankheiten sind von der Arznei noch nie beschrieben worden, was mich doch unbillig deucht, daß ihrer vergessen worden sei. Was mich aber dazu verursacht und bringt, ist dies, daß die Astronomie, die von den Ärzten bisher nie vorgenommen worden ist, mich solche Krankheiten zu erkennen lehrt. Wären die andern Ärzte in der Astronomie dermaßen erfahren gewesen, sie wären vor mir längst zum höchsten erklärt und entdeckt worden. Weil aber die astronomia von den Ärzten verworfen ist, können die Krankheiten und andere mehr mit ihrem rechten Grund weder erkannt noch verstanden werden. Dieweil nun aber die Arznei der andern Skribenten nit aus dem Brunnen fleußt, aus dem die Arznei ihren Grund nimmt, des Grunds und Brunnens aber ich mich berühmen kann, sollte ich dann nit Gewalt haben, anders als ein anderer Schreiber zu schreiben? Es ist einem jeglichen gegeben zu reden, raten und lehren, aber nit einem jeglichen gegeben zu reden und zu lehren, das Kraft hat. Denn ihr wißt, das auch der Evangelist bezeugt: da Christus gelehrt hat, da hat er geredet als einer, der Gewalt hat, und nicht wie die Schreiber und Gleisner. Auf eine solche Gewalt, die sich mit den Werken bewährt, wenn man der Rede nicht glauben will, soll man acht haben. Drum ich mich dessen verseh. So wenig einer gründlich vorbringen kann, wie das gestaltet sei, das er nie mit seinen Augen gesehen hat, gegenüber den, der es mit seinen Augen gesehen hat, so werden hier auch dergleichen Urteil sichtbar werden zwischen denen, die ohne Grund reden und denen, die mit Grund reden. Es ist nicht minder: das da krank liegt, gehört unter den Arzt. Billig ist, daß den Ärzten alle Krankheiten wissend seien; was nit in einer, das ist in der andern ihm wissend. Denn so sind die Gaben der Apostel ausgeteilt worden, und was einem jeglichen gegeben ist, im selben hat er seine Ehr; das ihm nit gegeben ist, ist ihm keine Schande. Denn so wie Gott einen jeglichen haben will, so bleibt er. Die andern Skribenten können sich solcher Gaben nit berühmen. Sie freuen sich ihres Termins, und was sie durch den terminum nit vollbringen können, da sagen sie, es sei unmöglich zu heilen.

504

Weiter, worin ich mich auch beschirme, darum, daß ich neue nomina und neue recepta schreibe, dess' sollt ihr euch nicht verwundern. Es geschieht nicht aus meiner Einfalt oder Unwissenheit, sondern es kann es sich ein jeglicher wohl denken, daß ein jeglicher einfältiger Schüler solche nomina, die von den Alten gegeben sind, auch ihre Rezepte, von dem Papier wohl ablesen und erkennen kann. Das ists aber, das mich von denselbigen treibt, daß die nomina von so viel verschiedenen Sprachen zusammengefügt und gesetzt sind, daß wir die selbige Art nimmermehr gründlich in unsern Verstand bringen können. Auch können die selbigen ihre eigene nomina selber nit verstehen noch erkennen, wie denn auch in Deutschen die nomina von einem Dorf in das andere versetzt werden. Und ob gleichwohl etliche pandectas, das ist Sammlungen, und anderes geschrieben haben, so verfallen sie auf manches, dem zu glauben mir nit gelegen ist, und das um vieler Ursache willen. Daß ich mich dann in solche Gefährlichkeit geben sollte und in eine uncertificierte Lehre einwillige, das wird mein Gewissen nicht tun. Denn es findet sich in denselbigen Skribenten, daß kein Kapitel ohne [505] Lügen und große Irrsal befunden wird, sondern es wird da etwas gefunden, das es alles verderbt. Was sollen mich dann die selbigen Skribenten erfreuen? Ich suche nit rhetoricam oder Latein in ihnen, sondern ich suche Arznei, in der sie mir keinen Bericht zu geben wissen. So auch mit den Rezepten, daß sie sagen, ich schreibe ihnen neue Rezepte und führe einen neuen Proceß herein, – wie sie es mir unter die Augen gehalten haben: ich sollte – nach Inhalt des zehnten Gebots Gottes ›du sollst nichts Fremdes begehren‹ – nichts Fremdes brauchen. Alldieweil sie mich nun tadeln und einen Verbrecher des zehnten Gebots schelten, ist mir hierauf not hie zu entdecken, was fremd oder nicht fremd sei. Nämlich, daß einer nicht zu der rechten Tür hineingeht, das ist fremd; (ebenso) daß einer das nimmt, das ihm nicht gehört. Zum Exempel: daß einer ein Arzt sein will und es nit ist, daß einer arzneit mit dem, in dem keine Arznei ist. Soll mir das verarget werden, daß ich ihre Tücke entdecken kann?

Weiter, daß ich von den besessenen Leuten schreibe, will ihnen ganz ungesalzen erscheinen. Es geschieht von mir aus der Ursache: dieweil Fasten und Beten die bösen Geister austreibt, achte ich, dem Arzt sei es sonderlich empfohlen, am ersten das Reich Gottes zu suchen, darnach werde ihm gegeben, was ihm not sei. Wird ihm gegeben, den Kranken durch Gebet gesund zu machen, laß es eine gute Purgation sein; wird es ihm durch Fasten gegeben, laß es ein gut confortativum, das ist Stärkungsmittel, sein. Sage mir doch eins: ist die Arznei allein in den Kräutern, Holz und Steinen, und nit in Worten? So will ich euch sagen, was die Wörter sind. Was ist, das das Wort nit tue? Wie die Krankheit ist, so auch ist die Arznei. Ist die Krankheit den Kräutern anbefohlen, so wird sie durch die Kräuter geheilt.

Ist sie unter dem Gestein, so wird sie unter demselbigen auch ernährt. Ist sie unter das Fasten verordnet, so muß sie durch Fasten hinweg. Besessensein ist die große Krankheit. Wenn nun Christus uns ihre Arznei vor Augen hält, warum sollte ich dann die Schrift nit erforschen: was in der Krankheit die Rezepte angreifen oder sind? Der Himmel macht Krankheit, der Arzt treibt sie wieder hinweg. So nun der Himmel dem Arzt weichen muß, so muß auch durch die rechte Ordnung der Arznei der Teufel weichen. Solches treiben die neoterischen und modernischen Ärzte, darum daß der viel schwätzende Mesue solcher Dinge nit gedacht hat, und andere nicht, deren aemuli oder Nachahmer sie sind.

Mir ist auch der Vorwurf begegnet, daß ich den Krankheiten neue nomina gäbe, die niemand kenne noch verstehe, – warum ich nit bei den alten nominibus bliebe? Wie kann ich die alten nomina gebrauchen, alldieweil sie nicht aus dem Grunde gehen, aus dem die Krankheit entspringt, sondern es sind nur Übernomina, von denen niemand wahrhaftig weiß, ob er die Krankheit mit den selbigen Namen recht benenne oder nicht. Wenn ich nun solchen Ungewissen Grund finde und erkenne, warum wollte ich mich dann wegen der nomina so sehr bemühen? Wenn ich die Krankheit verstehe und erkenne, kann ich dem Kind wohl selbst den Namen schöpfen. Was will ich sagen, apoplexis oder apoplexia? Oder was will es mich bekümmern, paralysis werde produciert oder corripiert, das ist hingerafft? Oder caducus fulguris heiße epilentia oder epilepsia? Oder was gehts mich an, es sei graecum, arabicum oder algoicum?! Mich bekümmert allein das, den Ursprung einer Krankheit und ihre Heilung zu erfahren und den Namen in das selbige zu concondieren. Das andere sind Dinge, die allein die Zeit verzehren mit unnützen Geschwätzen.

Damit ich euch weiter unterrichte wegen der neuen Krankheiten, so ich hie oder anderwegs melde, so sind noch einige mehr Ursachen, welche neue Krankheiten zu suchen zwingen. Nämlich der Himmel ist alle Tage in neuer Wirkung, verändert sich in seinem Wesen täglich. Ursach, er geht auch in sein Alter. Denn gleicherweise, ein Kind, das geboren wird, das ändert sich gegen sein Alter, je weiter und je ungleicher der Jugend es wird, bis in den terminum des Todes. Nun ist der Himmel auch ein Kind gewesen, hat auch einen Anfang gehabt und ist in das Ende praedestiniert wie der Mensch, und mit dem Tode umgeben und bestimmt. Wenn sich nun ein jeglich Ding mit dem Altern ändert, so andern sich auch die selbigen Werke. Wenn nun Änderungen der Werke da sind, was nützt mir dann die Rute der jungen Kinder? Wegen des Alters des Firmaments und der Elemente rede ich darum von der jetzigen Monarchie.

Weiter auch ist vorhanden eine solche Menge des Volks und solche Durcheinander-Vermischung unter ihnen, in allem Wandel und in fleischlichen Begierden, wie vor nie gewesen ist, so lange die Welt gestanden hat. Daraus folgt nun eine solche pressura gentium, das ist Drängnis der Völker, dergleichen auch nie gewesen ist. So folgt aus dem auch eine Arznei, die zuvor nie gewesen ist. Drum kann sich der Arzt, der da spricht: ich behelf mich der Bücher, die vor zweitausend Jahren geschrieben worden sind, dess' nit behelfen. Es sind nimmermehr dieselben causae, es beißt jetzt besser, wie beide Philosophien, des Himmels und der Elemente, genugsam beweisen. Es sollten die angeblichen doctores der Arznei sich daß bedenken, in dem, das sie sichtiglich sehen, daß etwa ein Bauer ohne alle Schrift mehr gesund macht, als sie alle mit ihren Büchern und roten Röcken, und wenn es die in den roten Kappen erführen, was die Ursache sei, sie würden in einem Sack voller Asche sitzen, wie die in Niniveh taten. So weiß ich nun auf diesmal, daß ich nach dem Inhalt dieser Defension neue nomina, neue Krankheiten aus dem gemeldeten wohl schreiben und angeben kann.

Die dritte Defension wegen des Schreibens der neuen Rezepte

Aber über das und das Gemeldete hinaus ist das Geschrei noch größer unter den unverständigen angeblichen und erdichteten Ärzten entstanden, die da sagen, daß meine Rezepte, die ich schreibe, ein Gift, corrosiv, das ist Ätzendes, und Extraction aller Bosheit und Giftigkeit der Natur seien. 508 Auf solches Vorgeben und Ausschreien hin wäre meine erste Frage, so sie darauf zu antworten tüchtig wären, ob sie denn wüßten, was Gift oder nit Gift sei? Oder aber, ob im Gift kein Mysterium der Natur sei? Denn im selbigen Punkt sind sie unverständig und unwissend in den natürlichen Kräften. Denn was, das Gott erschaffen hat, ist, das nit mit einer großen Gabe, dem Menschen zu Gutem, begnadet sei? Warum soll denn Gift verworfen und verachtet werden, so doch nicht das Gift, sondern die Natur gesucht wird? Ich will euch ein Exempel geben, mein Vorhaben zu verstehen. Seht die Kröte an, was so gar ein giftiges und unschönes Tier sie ist, seht dabei auch an das große Mysterium, das in Hinsicht auf die Pestilenz in ihr ist. Sollte nun das Mysterium wegen der Giftigkeit und Unschönheit der Kröte verachtet werden, was für ein großer Spott wäre das! Wer ist, der da das Rezept der Natur komponiert hat? Hat es nicht Gott getan? Warum sollte ich ihm sein compositum verachten, ob er gleich zusammensetzte, was mich nicht genug zu sein dünkt?! Es ist der, indess' Hand alle Weisheit steht, und der weiß, wo er ein jegliches Mysterium hinlegen soll. Warum soll ichs mich dann verwundern oder scheuchen lassen? Darum, daß ein Teil Gift ist, den andern mit dem zusammen verachten? Ein jegliches Ding soll gebraucht werden, dahin es verordnet ist, und wir sollen weiter keine Scheu vor demselben haben, denn Gott ist der rechte Arzt und die Arznei selbst. Es soll sich auch ein jeglicher Arzt die Kraft Gottes, die Christus uns zu verstehen gibt, da er spricht: und ob ihr Gift trinken werdet, wird es euch nit schaden, – eingebildet sein lassen. Wenn nun das Gift nicht überwindet, sondern geht ohne Schaden ab, wenn wir es nach der verordneten Art der Natur brauchen, warum sollte dann das Gift verachtet sein? Der Gift verachtet, der weiß um das nit, das im Gift ist. Denn das arcanum, so im Gift ist, ist dermaßen gesegnet, daß ihm das Gift nichts nimmt noch schadet. Es ist aber nicht so, daß ich euch mit diesem Versal und paragrapho zufrieden gestellt haben wollte oder mich genugsam defendiert hätte, sondern es ist notwendig, euch weiter einen größeren Bericht vorzutragen, wenn ich doch das Gift genugsam erklären soll. 509

Wie, daß ihr an mir seht, dess' ihr alle voll seid, und straft mich um eine Linse, da doch Melonen in euch liegen! Ihr straft mich in meinen Rezepten, – beseht doch die euren, wie sie sind! Nämlich zum ersten, mit euerm Purgieren. Wo ist in allen euern Büchern eine purgatio, die nicht Gift sei? Oder nicht zum Tode diene? Oder, wo dosis im rechten Gewicht nicht beachtet würde, ohne Ärgernis gebraucht werde? Nun merkt auf den Punkt, was dieses sei: es ist ein ›nicht zu viel‹ noch ein ›nicht zu wenig‹. Der das Mittel trifft, der empfängt kein Gift. Und wenn ich gleichwohl Gift brauchte, was ihr nicht beweisen könnt, aber, so ichs brauchte und gäbe seine dosin, bin ich dafür auch strafwürdig oder nit? Das will ich männiglich urteilen lassen. Ihr wißt, daß Thiriak von der Schlange thyro gemacht wird, – warum scheltet ihr nicht auch euer Theriak, weil das Gift der Schlange in ihm ist? Aber darum, weil ihr seht, daß er nützlich und nit schädlich ist, schweigt ihr. Wenn denn meine Arznei nit schlechter als der Theriak befunden wird, warum soll sie das entgelten, daß sie neu ist? Warum soll sie nit ebenso gut sein wie eine alte? Wenn ihr jedes Gift recht auslegen wollt, was ist, das nit Gift ist? Alle Dinge sind Gift, und nichts ist ohne Gift; allein die dosis machts, daß ein Ding kein Gift sei. Zum Exempel: eine jegliche Speise und ein jeglich Getränk, wenn es über seine dosis eingenommen wird, so ist es Gift; das beweist sein Ausgang. Ich gebe auch zu, daß Gift Gift sei; daß es aber darum verworfen werden solle, das darf nicht sein. Weil nun nichts ist, das nit Gift sei, warum corrigiert ihr? Allein darum, daß das Gift keinen Schaden tue. Und ob ichs dermaßen auch corrigierte, war das unleidlich? Warum straft ihr mich dann? Ihr wißt, daß argenium vivum nichts als allein Gift sei, und die tägliche Erfahrung beweist das. Nun habt ihr das im Brauch, daß ihr die Kranken damit schmiert, viel stärker als ein Schuster das Leder mit Schmer. Ihr räuchert mit seinem Zinnober, ihr wascht mit seinem Sublimat und wollt nit, daß man sagt, es sei Gift, – das doch Gift ist. Und treibt solches Gift in den Menschen und 510 sprecht, es sei gesund und gut, es sei mit Bleiweiß corrigiert, gleich als sei es kein Gift. Führt gen Nürnberg auf die Beschau, was ich und ihr für recepta schreiben, und seht in der selbigen, wer Gift braucht oder nit. Denn ihr wißt die Correction mercurii nit, auch seine dosin nit, sondern ihr schmiert, so lange es hinein will.

Eins muß ich euch zu verstehen geben: ob eure recepta, die ihr sagt, daß sie ohne Gift seien, den caducum heilen können oder nit, oder das podagram oder apoplexiam? Oder ob ihr durch euern Zucker rosat den Veitstanz und die lunaticos, das ist Mondsüchtigen, kurieren könnt, oder dergleichen andere Krankheiten? Freilich, ihr habt es damit nit getan, und werdet es auch nit damit tun. Muß es nun ein anderes sein, warum soll mir dann verargt werden, wenn ich das nehme, das ich nehmen muß und soll, da es dahin verordnet ist. Ich lasse es den verantworten, ders in der Schöpfung Himmels und der Erden so komponiert hat. Beseht alle meine recepta, ob es nicht mein erster Hauptartikel sei, daß das Gute von dem Bösen geschieden werde? Ist nit diese Scheidung meine Correction? Darf ich nit ein solch corrigiert arcanum eingeben und gebrauchen, weil ich doch kein Arges in demselben finden kann und ihr noch viel minder? Ihr werft mir den vitriolum, in dem ein groß Geheimnis ist und mehr Nutzen in ihm denn in allen Büchsen der Apotheke, vor. Daß er Gift sei, könnt ihr nit sagen. Sagt ihr, er sei ein corrosiv, dann sagt mir, in was Gestalt? Ihr müßt ihn dahin bringen, sonst ist er kein corrosiv. Ist er in ein corrosiv zu bringen, so ist er auch als ein dulcedinem zu bereiten, denn sie liegen beide beieinander. Wie die Bereitung ist, so ist auch der Vitriol. Und ein jegliches simplex, wie dasselbe auch an ihm sei, wird durch die Kunst in vielfältig Wesen gebracht, in aller Gestalt und Form, wie eine Speise, die auf einem Tisch steht. Ißt sie der Mensch, so wird Menschenfleisch daraus, durch einen Hund Hundsfleisch, durch eine Katz Katzenfleisch. So ist es auch mit der Arznei, dasjenige wird aus ihr, das du aus ihr machst. Ist es möglich, aus Gutem bös zu machen, so ist auch möglich, aus Bösem Gutes zu machen. Niemand soll ein Ding strafen, der seine Transmutation nicht kennt, und der nit weiß, was das Scheiden bewirkt. Ob ein Ding gleich Gift ist, es kann in kein Gift gebracht werden. Wie ein Exempel von dem arsenico zeigt, der der höchsten Gifte eines ist und ein drachma ein jegliches Roß tötet; feure ihn mit sale nitri, so ist es kein Gift mehr; zehn Pfund genossen, bleibt ohne Schaden. Siehe so, wie der Unterschied sei und was die Bereitung tut.

Aber einer, der da strafen will, der muß zuerst lernen, damit er, wenn er straft, nit zu Schanden werde. Ich kann eure Torheit und Einfalt wohl erkennen, dabei auch, daß ihr nicht wisset, was ihr redet, und daß man euerm unnützen Maul viel nachgeben muß. Ich schreib neue recepta, denn die alten taugen nichts. Es sind auch neue Krankheiten vorhanden, die verlangen auch neue recepta. Aber dess' habt acht in allen meinen Rezepten: ich nehme gleich was ich will, so nehme ich eben das, in dem das arcanum wider die Krankheit ist, wider die ich streite. Und merkt weiter, was ich ihm tue. Ich scheide das, das nit arcanum ist, von dem, das arcanum ist, und gebe dem arcanum seine rechte dosin. Jetzt weiß ich, daß ich meine recepta wohl defendiert habe, und daß ihr sie mir aus euerm neidischen Herzen scheltet, und eure untüchtigen dafür setzt. So ihr einer rechten Gewißheit wäret, ihr stündet ab. Aber wess' euer Herz voll ist, dess' läuft der Mund über. Ich setze hier in diesem Werk fünf defensiones, die lest durch, so findet ihr die Ursachen, warum ich die recepta aus denselbigen simplicibus mache, die ihr behauptet Gifte zu sein. Warum soll ich das entgelten, daß ich den Grund setze, den ihr nit zu sehen vermögt. Wäret ihr in den Dingen erfahren, in denen ein Arzt erfahren sein sollte, ihr würdet euch anders bedenken. Das aber sollt ihr verstehen, daß das kein Gift ist, das dem Menschen zu Gutem gedeiht. Das ist allein Gift, das dem Menschen zu Argem ersprießt, das ihm nit dienstlich, sondern schädlich ist, wie denn eure recepta genügend bezeugen, in denen keine Kunst bedacht wird als allein Stoßen, Mischen und Einschütten. Ich will mich also hiemit defendiert und beschirmt haben, daß meine recepta nach Ordnung der Natur administriert und appliciert werden, und daß ihr selbst nit wisset, was ihr redet, sondern eure Mäuler wie ein Wütender ohne Verstand und unbesonnen braucht.

512

Die vierte Defension wegen meines Landfahrens

Mir ist not, daß ich mich wegen meines Landfahrens verantworte, und deswegen, daß ich so gar nirgends bleiblich bin. Nun, wie kann ich wider das sein oder das gewaltigen, das mir zu gewaltigen unmöglich ist? Oder was kann ich der Praedestination nehmen oder geben? Damit ich mich aber euch gegenüber in etwas entschuldige, weil mir so viel nachgeredet wird, auch mich zu verargen und zu verspotten, deshalb daß ich ein Landfahrer bin, gleich als ob ich dadurch desto minder wert sei – soll es mir niemand verargen, daß ich mich ob demselben beschweren würde. Mein Wandern, das ich bisher verbracht habe, ist mir wohl erschossen, der Ursach halben, daß keinem sein Meister im Hause wächst, noch er seine Lehrer hinter dem Ofen hat. So sind auch die Künste nicht alle in eines Vaterland eingeschlossen, sondern sie sind durch die ganze Welt ausgeteilt. Nicht daß sie in einem Menschen allein oder an einem Ort seien, sondern sie müssen zusammengeklaubt, genommen und gesucht werden, da da sie sind. Es bezeugts mit mir das ganze Firmament, daß die inclinationes sonderlich ausgeteilt sind, nicht allein einem jeglichen in seinem Dorf, sondern nach Inhalt der obersten Sphaeren gehen auch die radii, die Strahlungen, in ihr Ziel. Ob es mir nicht billig sei und wohl anstehe, diese Ziele zu erforschen und zu durchsuchen und zu sehen, was in einem jeglichen gewirkt wird? Wenn ich dessen ein Gebrechen trüge, würd ich unbillig der Theophrastus sein, der ich denn bin. Ist das nicht so? Die Kunst geht keinem nach, aber ihr muß nachgegangen werden; drum hab ich Fug und Einverständnis, daß ich sie suchen muß und sie mich nit. Nehmt ein Exempel! Wollen wir zu Gott, so müssen wir zu ihm gehen, denn er spricht: Kommt zu mir! Weil nun dem also ist, so müssen wir dem, dahin wir wollen, nachgehen. Aus dem folgt nun: will einer eine Person sehen, ein Land sehen, eine Stadt sehen, der selbigen Ort und Gewohnheit erfahren, des Himmels und der Elemente Wesen, so muß einer den selbigen nachgehen. Denn daß die selbigen ihm nachgehen, ist nicht möglich. Also ist die Art eines jeglichen, der etwas sehen und erfahren will, daß er dem selbigen nachgehe und eine erkennende Kundschaft einziehe, und wenn es am besten ist, verrücke und weiterfahre.

Wie kann hinter dem Ofen ein guter cosmographus wachsen oder ein geographus? Gibt nicht das Gesicht den Augen einen rechten Grund? So lasse dir nun den Grund bestätigen. Was sagt denn der Birnenbrater hinter dem Ofen? Was kann der Zimmermann ohne eine Kundschaft durch sein Gesicht sagen? Oder was ist, das ohne das Gesicht bezeugt werden kann. Hat sich Gott nicht selbst mit Augen zu sehen gegeben, und stellt uns zu einem Bezeugnis auf: daß unsere Augen ihn gesehen haben? Wie wollte denn eine Kunst oder etwas anderes sich dem Zeugnis der Augen entschlagen? Ich habe zuweilen von Rechtserfahrenen gehört, wie sie in ihren Rechten geschrieben haben, daß ein Arzt ein Landfahrer sein soll. Dieses gefällt mir sehr wohl. Ursach: die Krankheiten wandern hin und her, so weit die Welt ist, und bleiben nicht an einem Ort. Will einer viel Krankheiten kennen lernen, so wandere er auch; wandert er weit, so erfährt er viel und lernt viel kennen. Und ob es Sach würde, daß er wieder seiner Mutter in den Schoß käme, – kommt dann ein solcher fremder Gast in sein Vaterland, so kennt er ihn. So er ihn aber nit kennen würde, wäre das ihm spöttlich und eine große Schande, denn er könnte ja seinem Nächsten das nicht halten, dess' er sich berühmt hat und sich gälet, das ist gepriesen, hat zu wissen. Sollte mir das dann zum Argen angerechnet werden, daß ich wegen des gemeinen Nutz tue, was mir beschwerlich ist? Es tun es doch nur die Polsterdrücker, die ohne Schlitten, Karren und Wagen nicht vor ein Tor gehen können und zu keinem Schuhmacher um ein Paar Schuh mit ihrer Kunst nicht zu kommen wissen, sondern allein auf einem Esel und: einen Dukaten her! Kannst du ohne den Dukaten für ein Paar Schuhe nichts, so bist du selbst ein Esel und Dukaten. Sie sind auch nicht perambulani; darum hassen sie das, das sie nicht sind. Das Bessere hassen sie, darum weil sie ärger sind. Nun weiß ich doch, daß das Wandern nicht verderbe, sondern besser mache. Macht Wandern nicht einen jeglichen Handel besser? Gibt Wandern nicht mehr Verstand als »hinterm Ofen sitzen«? Ein Arzt soll kein Nudeldrücker sein; er soll sich weiter merken oder spüren lassen. Nit minder ist aber, wie sie jetzt zu meinen Zeiten in der Welt geschickt sind, so schmeckt ihnen weder zu wandern noch zu lernen. Dazu bringt sie das Volk, daß sie ihnen immer mehr Geld geben, ob sie schon gleich nichts wissen. Wenn sie das an den Bauern merken, daß sie nicht wissen, wie ein Arzt sein soll, so bleiben sie hinter dem Ofen, setzen sich mitten unter die Bücher und fahren so im Narrenschiff.

Ein Arzt soll am ersten ein astronomus sein. Nun erfordert es die Notdurft, daß ihm die Augen das Zeugnis geben müssen, daß er das sei ohne dieses Zeugnis ist er nur ein astronomischer Schwätzer. Es ist auch erforderlich, daß er ein cosmographus sei, nicht die Länder zu beschreiben, was sie für Hosen tragen, sondern tapferer anzugreifen, was sie für Krankheiten haben, obgleich dein Vorhaben ist, du möchtest aus dem, das du in diesem Lande gelernt hast, dieses Landes Kleidung recht machen können, und dich damit, fremde Länder zu erfahren, entschuldigst. Was geht es den Arzt an, daß du ein Schneider bist? Darum, weil die Dinge, die jetzt gemeldet worden sind, erfahren werden müssen, so sind sie auch bei uns parabolanis, das ist Abenteurern, und der Arznei angehängt, nicht von ihr zu scheiden. – Es ist auch von nöten, daß der Arzt ein philosophus sei, und daß ihm die Augen dessen, daß er es sei, Kundschaft geben. Will er ein solcher sein, so muß er zusammenklauben an den Orten und Enden, da es ist. Denn will einer einen Braten essen, so kommt das Fleisch aus einem andern Land, das Salz aus einem andern Land, die Speis aus einem andern Land. Müssen die Dinge wandern, bis sie zu dir kommen, so muß du auch wandern, bis du das erlangst, das nit zu dir gehen kann. Denn Künste haben keine Fuß, daß sie dir die Metzger nachtreiben könnten; sie sind auch nit in Kufen zu führen noch in ein Faß zu verschlagen; all dieweil sie nun dies Gebrechen haben, so mußt du das tun, das sie tun sollten. Die engelländischen humores sind nit ungarisch, noch die neapolitanischen preußisch. Darum muß du dahin ziehen, da sie sind. Und je mehr du sie dort suchst und je mehr ihr erfahrt, je größer ist dein Verstand in deinem Vaterlande. –

So ist auch not, daß der Arzt ein Alchemist sei. Will er nun der sein, muß er die Mutter sehen, aus der die mineralia wachsen. Nun gehen ihm die Berge nicht nach, sondern er muß ihnen nachgehen. Wo nun die mineralia liegen, da sind die Künstler; will einer Künstler in der Scheidung

515

und Bereitung der Natur suchen, so muß er sie an dem Orte suchen, da die mineralia sind. Wie kann denn einer hinter die Bereitung der Natur kommen, wenn er sie nicht sucht, da sie ist? Soll mir das denn verargt werden, daß ich meine mineralia durchgemustert und ihr Herz und Gemüt erfahren habe, und habe in meine Hände gefaßt ihre Künste, die mich lehren, das Reine vom Kot zu scheiden, wodurch ich vielem Übel zuvorgekommen bin. Es ist aber nit minder, ich muß den philosophischen Spruch auch sagen, daß Weisheit allein von den Unwissenden verachtet würde, so auch die Kunst von denen, die sie nicht könnten.

Ich geschweig dessen, daß der, der da hin und her zieht, im Kennenlernen 516 mancherlei Personen, in Erfahrung von allerlei Gebaren und Sitten etwas erfährt; daß noch einer Schuh und Hut verzehren sollt, daß er dieselbigen sähe, – ich geschweige größerer Dinge, denn solches ist. Es geht doch ein Buhler einen weiten Weg, daß er ein hübsch Frauenbild sehe, wievielmehr einer hübschen Kunst nach! Ist doch die Königin von den Enden des Meeres zu Salomon allein darum, daß sie seine Weisheit höre, gekommen. Ist nun eine solche Königin der Salomonischen Weisheit nachgegangen, was ist da die Ursache gewesen? Die ist es, daß die Weisheit eine Gabe Gottes ist; da er sie hingibt, soll man sie suchen, so auch da er die Kunst hinleget, da soll sie gesucht werden. Das ist eine große Erkenntnis im Menschen, daß der Mensch so viel versteht, daß er die Gabe Gottes sucht, da sie liegt, und daß wir gezwungen sind, der selbigen nachzugehen. So nun da ein Zwang ist, wie kann man dann einen verachten oder verspeien, der solches tut? Es ist wohl wahr, die es nicht tun, haben mehr, denn die es tun. Die hinter dem Ofen sitzen, essen Rephühner, und die den Künsten nachziehen, essen nur eine Milchsuppe; die Winkelbläser tragen Ketten und Seide an sich, die da wandern, vermögen kaum einen Zwillich zu bezahlen. Die in der Ringmauer sitzen, haben Kaltes und Warmes, wie sie wollen; die in den Künsten, – wenn der Baum nicht wäre, sie hätten nicht einen Schatten. Der nun dem Bauch dienen will, der folgt mir nit; er folgt denselbigen, die in weichen Kleidern gehen, wiewohl sie zum Wandern nichts taugen. Denn Juvenal hat sie beschrieben, – daß allein der fröhlich wandert, der nichts hat. Drum beachten sie auch denselbigen Spruch; damit sie nit ermordet werden, bleiben sie hinter dem Ofen und kehren Birnen um.

So erachte ich, daß ich mein Wandern bisher billig verbracht habe, und erachte es mir ein Lob und keine Schande zu sein. Denn das will ich mit der Natur bezeugen: der sie durchforschen will, der muß ihre Bücher mit den Füßen treten. Die Schrift durch die Buchstaben erforscht, die Natur aber durch Land zu Land; so oft ein Land, so oft ein Blatt, so ist codex 517 naturae, so muß man ihre Blätter umkehren.

Die fünfte Defension daß ich mich der falschen Ärzte und ihrer Gesellschaft entschlage

Alldieweil nichts so rein ist, das nit mit Makeln befleckt sei, ist es von nöten, daß man das Befleckte und das Reine zu erkennen gebe, – wie es denn auch in der Arznei sich beweist, daß des Bösen mehr denn des Guten ist. Alldieweil aber Christus zwölf Jünger gehabt hat und einer unter ihnen war ein Verräter, – wievielmehr ist es dann unter den Menschen glaublich, daß von zwölf kaum ein guter sei. Der Ursach halben: Wir sollen alle Dinge aus Liebe tun; aber aus Liebe geschieht nichts, sondern allein wegen der Begleichung und Bezahlung, aus dem dann der Eigennutz folge, aus welchem falsche Ärzte in der Arznei geboren werden, so daß sie das Geld suchen und nit das Gebot der Liebe erstatten. Wo nun ein Ding in den Eigennutz gerichtet ist, da fälschen sich die Künste, auch das Werk, denn Kunst und Werkschaft müssen aus der Liebe entspringen, sonst ist nichts Vollkommenes da. Gleicherweise wie wir zweierlei Apostel haben, der eine aber liebt Christum wegen seines eignen Nutzens, drum ward ihm der Säckel des Eigennutzes zugestellt; so hatte er seine Ursache, durch seinen Eigennutz Christum selbst zu verkaufen, auch seines Eigennutzes wegen in den Tod zu gehen. Wenn nun Christus das hat erdulden müssen, daß er wegen des Eigennutzes hat verkauft und verraten werden müssen, wievielmehr erkrümmen und lahmen, erwürgen und töten die falschen Ärzte den Menschen, damit ihnen ihr eigener Nutz gemehrt und nicht gehindert werde. Denn so bald die Liebe in den Nächsten erkaltet, so kann sie dem Nächsten keine gute Frucht mehr tragen, und was an Frucht da getragen wird, die geht in den eigen Nutz. So sollen wir wissen, daß zwo Arten der Ärzte seien, die aus der Liebe handeln und die aus dem Eigennutz, und an den Werken werden sie beide erkannt, so daß die gerechten durch die Liebe erkannt werden, und der gerechte Arzt die Liebe gegenüber dem Nächsten nit breche. Aber die ungerechten, die handeln wider das Gebot, schneiden, da sie nit gesät haben, und sind wie die reißenden Wölfe, schneiden, wo sie schneiden können, damit der Eigennutz gemehrt werde, unangesehen das Gebot der Liebe.

Christus gibt Exempel, von dem Perlein, wie es gekauft ward, auch wie der Acker mit dem Schatz gekauft ward, das so viel besagt, daß die Liebe nicht unter vielen liege, sondern in der Kleine. Als spräche er: Bist du ein Arzt, so ist dein Perlein der Kranke, und ist der Acker, in dem der Schatz liegt. Jetzt folgt daraus: daß ein Arzt verkaufen soll, was er hat, und den Kranken gesund machen: so handelt die Liebe gegenüber dein Nächsten. Wenn aber das nit ist, sondern du behältst das deine und nimmst auch dem Kranken das seine, jetzt wird der Schrift in gar nichts gefolgt; darum kann auch keine Kunst in der Arznei als vollkommen erscheinen. Denn das müssen wir vor unsern Augen haben, wie dem Judas der Säckel des Eigennutzes zugestellt worden ist und den andern Aposteln, Säckel zu haben verboten war, sondern sie aßen, was man ihnen vorlegte. Solches den selben Vorlegen geht aus der Liebe; Heischen, Geilen, Betteln ist nicht erlaubt. Denn das, was wir vom Nächsten empfangen sollen, ist in die Liebe gestellt, und ist nicht in unsere Gewalt gestellt. Drum folgt daraus, daß dem Teil, der da im Weg Gottes wandelt, in seinen Gaben, die ihm Gott gegeben hat, vollkommene Werke und Früchte ersprießen, die aber anders handeln, als die Schrift ausweist, die sind mitsamt denjenigen, bei denen sie den Eigennutz suchen, mit viel Jammer und Elend umgeben. Es sei denn, daß Gott wider des falschen Arztes Kunst und Arznei in dem Nächsten wirke, sonst wird unter deren Händen kein Kranker gesund. Es soll sich des niemand befremden lassen, daß ich in der Arznei den Eigennutz nicht preisen kann, – nämlich weil ich weiß, wie der Eigennutz so gar verderblich ist, so daß die Künste durch den Eigennutz verfälscht werden, und alles allein auf den Schein und Kauf gerichtet wird, und daß solches ohne Falsch nicht geschehen kann, welcher Falsch in allen Dingen die Verführung ursacht. 519 Drum soll der Arzt nit aus Eigennutz wachsen, sondern aus der Liebe. Die selbige ist ohne Sorgen, sorgt nicht, was sie morgen essen will, sondern denkt, wie die Lilien im Felde gekleidet werden und die Vögel gespeist, wievielmehr der Mensch, der da wandelt nach dem Willen Gottes.

Aber weil in die Arznei so ein unnütz Volk eingemischt wird, die allein den Eigennutz betrachten und suchen, wie kann es dann statt oder folge haben, daß ich sie der Liebe ermahne. Ich für mein schäme mich, in Ansehung daß sie so ganz in einen Betrug gekommen ist, der Arznei. Es ist doch kein verzweifelter Henker, Hurenwirt oder Hundeschläger, der nicht sein Menschen- oder Hundeschmalz gleich teuer wie Gold verkaufen und alle Krankheit damit heilen will. Da doch ihr Gewissen sie anweist, daß ihnen nur eine Krankheit unter allen zu heilen erlaubt sei. Aber angesichts ihres Eigennutzes nehmen sie das alles, was ihnen zuläuft, an. So kommen in die Arznei auch alle die faulen und heillosen Lotterbuben und verkaufen ihre Arznei, es reime sich oder nit. Welcher nun Geld in den Säckel bringen kann, der selbige hat das Lob, er sei ein guter Arzt. So auch nehmen sich die Apotheker und etliche Barbierer der Arznei an, halten und walten, als wäre es ein Holzwagen, gehn in der Arznei wider ihr eigen Gewissen um, vergessen ihrer eignen Seelen, allein daß sie reich werden, und Haus und Hof und alles, was darein gehört, zurichten und ausputzen.

Achten dess' nit, daß es unverdient in ihre Hand gekommen ist, wenn es allein nur da ist. Es ist auch ein doktorischer Brauch geworden, – wenn es die Schrift vermag? Daß es recht sei, ist mir unwissend, – daß ein Gang einen Gulden gelten solle, ob er gleichwohl nit verdient wird, und Seichbesehen und anderes mit der Taxe bestimmt ist. Einer mit dem andern Mitleid zu haben und das Gebot der Liebe zu erfüllen, solches will in keinen Gebrauch oder Gewohnheit kommen. Es will auch kein Gesetz mehr sein, sondern nur Nehmen, Nehmen, es reim sich oder nit. So erlangen sie goldene Ketten und goldene Ringe, so gehen sie in seidenen Kleidern und 520 zeigen so vor aller Welt ihre offene Schande, was sie erachten, ihnen eine Ehre zu sein und dem Arzte wohl anstehe. So geziert wie ein Bild einherzutreten, das ist ein Greuel vor Gott. Ob sich nicht einer billig einer solchen Profession schämen sollte, die von untüchtigen Leuten so gar wider ihre Eigenschaft gebraucht wird? Obwohl die Kunst an sich selbst ein hoher Schatz der Natur ist, wird sie doch von solchen untüchtigen Leuten nit betrachtet. Es sind viel, die sich der Arznei annehme und ein jeglicher will die selbe gebrauchen und nicht kennen. Sie sind Diebe und Mörder, steigen nicht zu der rechten Tür hinein. Ihre Kunst ist Schwätzen und Kläffen. Der Termin erhält sie, und ihre Büberei und Betrug treibt sie von einem Land in das andere, aber nit wieder zurück. Ihnen ist gleich wie einem Boten, der eine fremde Nachricht bringt; wo er hinkommt, treibt er die selbige Predigt; wenn er wieder kommt, so achtet man sein nicht mehr. Es ist sehr schwer und kläglich, daß eine solche Kunst mit solchen untüchtigen leichtfertigen Leuten besetzt sein muß und so in ein Falsch gebracht wird, so daß man der Wahrheit hierin nit glaubt, und es ist dahin gekommen, daß ihre Bübereien so durchaus an den Tag komme, und daß unser keiner ein gut Lob hat, sondern man schätzt uns alle gar gleich, – das ich in mancher Beziehung keinem verargen kann.

Denn ursach: weil die jüdischen Ärzte, ein unnütz verlogen Volk, die Arznei gebrauchen und von den Pharisäischen hochgehalten werden, wer sollte dann auf eine Profession, die solche Buben regieren, etwas halten? Dieweil ja alle Roß mit einem Sattel geritten werden können, und die Krankheiten in ihrem Wesen nicht erkannt werden, sondern was einem jeglichen in den Kopf fällt, das ist seine Kunst, und da ist noch keine Erfahrenheit noch Wahrheit ergründet. Daß aber solches geschieht, das ursacht, daß die Welt betrogen sein will, drum so muß die Arznei mit solchen Buben besetzt werden, von denen die Welt betrogen wird, denn ein Frommer tut es nit. Wenn aber die Welt nit betrogen zu werden begehrte, es würde die Arznei mit andern besetzt werden. Weil aber die Welt man- 521 chenteils auch nichts oder wenig taugt, kann sie das Fromme nit bei sich dulden; drum muß Gleiches dem Gleichen beigefügt werden. Ob sich nit billig einer schämen sollte, der unter solche Buben gezählt und genannt werden kann? Nit allein, daß sie in der Arznei herumwühlen, sondern auch, daß sie ihre Üppigkeit, das ist Übermütigkeit, genügend zeigen. So bilden sie sich ein, alle religiones zu wissen und zu können, und wollen Gewalt haben, alle Dinge zu strafen oder zu loben; sie rühmen sich, alle Sprachen zu können, und so man es besieht, so ists mit einem Dreck versiegelt. Man sagt, der Himmel wirke solche Dinge und das Firmament sei ihre Ursache; mir ist das Firmament auch in mancher Hinsicht bekannt, ich kann aber nit in ihm erfahren, daß der Falsch in der Arznei aus dem Firmament geboren werde. Aber das weiß ich wohl, daß des Menschen Leichtfertigkeit eine Ursache des Betruges ist, und man bedarf sonst niemands ihn zu zeihen, als sein selbst. Keiner will, bis hin auf seine Meisterschaft, noch etwas erfahren; ein jeglicher will fliegen, ehe ihm die Flügel gewachsen sind. Das ist der Betrug, daß ein jeglicher handelt und nit weiß, was. Das ist die Leichtfertigkeit, die im Menschen ist, daß er sich eines Werkes untersteht, und weiß, daß ers nit kann. Weil aber der falsche Arzt denkt: geräts nit, – wie es auch geschehen wird, – so kannst du dich wohl verantworten und deine Büberei mit Gott verteidigen oder dem Kranken die Schuld zulegen, – aber man muß dir Geld geben; es gehe, wie es wolle. Die Arznei ist eine Kunst, die mit großem Gewissen und großer Erfahrenheit gebraucht werden soll, auch mit großer Gottesfurcht, denn der Gott nicht fürchtet, der mordet und stiehlt für und für. Der kein Gewissen hat, der hat auch keine Scham in sich. Es ist eine Schande und Laster, oder vielleicht eine Plage, daß man solche gottlosen Leute nicht erkennen, das ist sichtbar machen, soll, und einen Baum, der nichts taugt, abhauen und in das Feuer werfen darf. Denn so sind sie gerichtet, alldieweil sie der Obrigkeit Mildesehen haben, und man sieht auch, daß sie den Eigennutz zuweilen lieben, – da ist ihnen hernach wie einer Huren auf der Grabenstraße. Drum ist von nöten, daß man da zwischen den Ärzten, die unter dem Gesetz Gottes wandeln, gegenüber denen, die unter dem Gesetz der Menschen wandeln, einen Unterschied halte; der eine dient in der Liebe, der andere in dem Eigennutz.

522

Will mich also dieserorts defendiert haben, daß ich mit den pseudomedicis keine Gemeinschaft habe noch ihrer ein Gefallen trage, sondern ich möchte fordern, daß die Axt an den Baum gelegt werde; es dürfte – nach meinem Gutdünken – nit lang verzogen werden.

Die sechste Defension seine wunderliche Weise und zornige Art zu entschuldigen

Nit daß genug sei, mich in etlichen Artikeln anzutasten, sondern es heißt auch, daß ich ein wunderlicher Kopf mit letzer, das ist wirrer Antwort sei, nit einem jeglichen nach seinem Gefallen aufwüsche, das ist begegnete, nit einem jeglichen auf sein Vorhaben aufs Demütige antwortete, das achten und schätzen sie eine große Untugend an mir zu sein. Ich selbst aber schätze es als eine große Tugend und wollte nit, daß es anders wäre denn wie es ist. Mir gefällt meine Weise sehr wohl. Damit ich aber mich verantworte, wie meine wunderliche Weise zu verstehen sei, merkt dieses: Von der Natur aus bin ich nicht subtil gesponnen; ist auch nicht meines Landes Art, daß man was mit Seidenspinnen erlange. Wir werden auch nicht mit Feigen erzogen, noch mit Met, noch mit Weizenbrot, – aber mit Käs, Milch und Haberbrot; das kann nicht subtile Gesellen machen. Zu dem, daß einem alle seine Tage das anhängt, das er in der Jugend empfangen hat; dieselbige ist nur fast, das ist, sehr, grob sein gegen subtil, katzenrein, superfein. Denn die selbigen, die in weichen Kleidern und die in Frauenzimmern erzogen werden, und wir, die in Tannenzapfen erwachsen, verstehen einander nit 523 gut. Drum so muß der, der grob ist, grob zu sein geurteilt werden, ob der selbige sich selbst schon gar subtil und holdselig zu sein vermeint. So geschieht es mir auch; was ich für Seide halte, heißen die andern Zwillich und Drillich.

Nun aber weiter, merkt auf, wie ich mich dessen entschuldige, daß ich rauhe Antwort geben soll. Die andern Ärzte kennen wenige der Künste, behelfen sich mit freundlichen, lieblichen, holdseligen Worten, bescheiden die Leute mit Züchten und schönen Worten, legen alle Dinge nach der Länge lieblich, mit besonderem Abschied, dar und sagen: Kommt bald wieder, mein lieber Herr! Meine liebe Frau, gehe hin, gib dem Herren das Geleit usw. So sage ich: was willt? Hab jetzt nit der Weil, es ist nit so nötig! Jetzt hab ich in den Pfeffer hofiert. So haben sie die Kranken genarrt, daß sie ganz im Glauben sind, freundlich, liebkos Leben, Feder klauben, Zutüttelen, viel Gramanzen, das ist Possen treiben, sei die Kunst und die Arznei; sie heißen den einen Junker, der erst (als Ausläufer) vor dem Krämerladen herläuft; heißen den andern Herr, Euere Weisheit; es ist ein Schuster und ein Tölpel, den ich duze; damit verschütte ich aber, was ich im Hafen hab. Mein Vorhaben ist, nichts mit dem Maul gewinnen, allein mit den Werken. Wenn sie aber des Sinnes nicht sind, so können sie billig, nach ihrer Weise, sagen, ich sei ein seltsam wunderlicher Kopf und gebe wenig guten Bescheid, das ist Antwort. Es ist nit meine Meinung, mich mit freundlichem Liebkosen zu ernähren. Drum so kann ich das nicht gebrauchen, das mir nicht angemessen ist, das ich auch nicht gelernt hab. Es ist ohne not, solche Schmeichlerei zu gebrauchen, und einen jeglichen Knoten auf den Händen zu tragen, dem das Tragen auf einer Mistbahre nit gebührt. So soll die Arznei sein, daß der Arzt Antwort gebe, nach dem, wie des Kranken Blut und Fleisch ist, seines Landes Art, seine angeborene Art, rauh, grob, hart, sanft, mild, tugendlich, freundlich, lieblich, und wie er von Natur sei, von angenommener Weise. Das soll nun nit seine Kunst sein, sondern er soll nur mit kurzem eine Antwort geben, und mit den Werken hindurch. Das heißt, dem Raben Mus in das Maul gestrichen. Ich achte, daß der Sache halber auf den Artikel ich wohl genug verteidigt sei, wiewohl es sich weiter begibt, daß ich noch mehr wunderliche Weise brauche, wie gegen die Kranken, wenn sie nicht meiner ausgemachten Ordnung nachgehen. Es mag das ein jeglicher ermessen, daß deswegen, daß die Arznei wahrhaftig gefunden werde, der Kranke gesund und ich weiter ungeschändet bleibe, solche wunderliche Weise nicht unbillig geschieht. Es könnte eine Turteltaube zornig werden bei solchen lausigen Zoten.

Weiter ist auch eine Klage über mich zum Teil von meinen verlassenen Knechten und zum Teil meiner discipulis, daß ihrer keiner meiner wunderlichen Weise halben habe bei mir bleiben können. Da merkt meine Antwort! Der Henker hat zu seinen Gnaden mir einundzwanzig Knechte genommen und von dieser Welt abgetan; Gott helf ihnen allen! Wie kann einer bei mir bleiben, so ihn der Henker nit bei mir lassen will? Oder was hat ihnen meine wunderliche Weise getan? Wären sie des Henkers Weise geflohen, das wäre die rechte Kunst gewesen. Noch sind etliche, die sich dermaßen bei mir gehalten haben und sind auch dem Henker entflohen, und sind dann entsessen, haben sich entschuldigt, ich sei seltsam, es könnte niemand mit mir auskommen. Wie kann ich aber nit wunderlich sein, wenn ein Knecht nit ein Knecht ist, sondern ein Herr?! Er schaut auf seine Schanz, läßt mich derweil verderben, zuschanden werden, und hat in dem eine Freud. Sie verleumden mich gegenüber dem Kranken, nehmen sie hinterrücks ohne meinen Willen und Wissen an, verdingen sich ihnen um das halbe Geld, sagen, sie könnten meine Kunst, haben sie mir abgesehen. Darnach, nach solchem sich-Absetzen, können und wollen sie nimmer bei mir sein, die Kranken auch nimmer. Darnach, wenn ichs erfahre, so ist das Bubenwerk ein Handel; ermesse es ein jeglicher, wie ehrlich der Handel sei. Es habens mir doctores, Barbierer, Bader, discipel, Knechte, auch Buben getan; soll das ein Lamm machen?! Es sollte am letzten einen Wolf geben. Dazu muß ich zu Fuß traben und sie reiten. Doch das tröstet mich allentwegen, daß ich bestehe und bleibe, wenn sie entrinnen und ihr Falsch begriffen wird. Es ist nit minder, es klagen über mich doctores; nicht unbillig, denn die Wahrheit sagen tut einem, dess' List an den Tag gebracht wird, wehe. Wieviel sind aber, die mir deswegen Gutes nachreden? Sind auch doctores.

So sind mir auch die Apotheker feind, sagen, ich sei seltsam, wunderlich etc., es könne mir niemand recht tun, – so doch ein Jeglicher mir recht tun kann, der redlich handelt. Aber quid pro quo geben, merdam pro musco, das ist Kot für Muskaten, ist mir nicht gelegen, und daß ich des Bachanten Buch ›Quid pro quo‹ admittiere, das ist zulasse, wohl anzunehmen und zugebrauchen gestatte. Zudem, was sie selbst geben, ist nit der dritte Teil gut, etwas ist dazu gar nicht gut, das selbe auch nit, das sie sagen, dies oder das sei es. Sollte ich meinen Kranken das quid pro quo verabfolgen lassen, und das nichts laugt, so käme ich in Schande, meine Kranken ins Verderben, vielleicht gar in den Tod. Wenn ich das in meiner angeborenen Weise, die ich als gar freundlich schätze und erachte, sage, heißen das die Dickendacker eine zornige und wunderliche Weise; ›andere doctores tuns nicht, ich allein tus!‹ Dazu so schreib ich kurze Rezepte, nit auf vierzig oder sechzig Stück, wenig und selten, leere ihnen ihre Büchsen nit aus, schaff ihnen nicht viel Geldes in die Küche; das ist der Handel und darum richten sie mich aus. Nun urteil selbst, wem bin ich mehr schuldig? Oder wem habe ich als ein Doktor geschworen, dem Apotheker aus seinen Säcken in seine Küche zu helfen? Oder dem Kranken von der Küche, zu seinem Nutz?

Nun schaut, liebe Herrn, wie wunderlich bin ich oder wie übel steht es um meinen Kopf. Sollt ich meine zornige Weise bis zum letzten verteidigen, sie würden schamrot und übel angesehen werden. Denn die Ursache zu erzählen denen gegenüber, die mich dermaßen zeihen und ausblasnieren, das ist ausdeuten, aus der Ursache, daß sie mich zu verkleinern gedenken, wird ihre zu viele Büberei an den Tag bringen und sie ferner bei allen frommen Richtern und Verhörern in großen Schaden setzen. Wenn ich nun etliche Barbierer und Bader ein wenig angreifen werde und ihre Ursache, die sie gegen mich haben, um dessentwillen sie mich einen wunderlichen und seltsamen Menschen heißen, anzeige, – ich acht, es würden ihrer wenig sein, es würde ihnen nahezu auch ergehen, wie es etlichen ergangen ist, von denen ich es berichtet habe.

526

Darum wisset mich hie in dieser sechsten Defension zu verstehen, daß ihr, die ihr solches hört, die Dinge mit gleichem Urteil, mit gleicher Waage ermessen wollt und bedenken, daß nit alles aus reinem Herzen geht, sondern aus Unflat, aus dem deren Mund überläuft, um sich selbst zu beschönen und mich zu verkleinern.

Die siebente Defension, daß ich auch nicht alles weiß, kann und zu tun vermag, was jeglichem zu tun not sei und wäre

Das muß ich bekennen, daß ich nit einem jeglichen seinen Willen, wie er es von mir gewiß und ungezweifelt haben will, was ich nit vermag noch in meinem Vermögen ist, erstatten und erfüllen kann. Nun hat doch Gott die Arznei nit dermaßen nach ihrem Willen erschaffen, daß sie tue, gleich wie ein jeglicher will und daherläuft. Wenn nun Gott solchen Menschen nichts gönnen noch geben will, das soll ich dazu tun, so ich doch Gott nit meistern noch zwingen kann, sondern er mich und alle anderen. Habt also eine allgemeine Verantwortung. Wären sie Gott angenehm oder ihm zur Heilung gefällig, er hätte ihnen die Natur nit entzogen. Es ist so ein Ding wie einer, der da ein hübscher feiner Gesell sein und vor allen andern hervortreten will, will daß ihm alle Frauen und Jungfrauen hold sein sollen, aber er ist krumm geboren, hat einen Buckel auf dem Rücken wie eine Laute, und hat auch sonst keine Person am Leib, – wie können die Frauen einem hold sein, dem seine eigene Natur nit hold ist, und hat ihn im 527 Mutterleib verderbt und nichts Gutes aus ihm gemacht?! Damit ich euch aber baß unterrichte, so wisset: dem Gott nit Gutes gönnt, was soll ihm dann die Natur Gutes gönnen? Wo die zween Gunste nit sind, was ist der Arzt?! Oder wer kann ihn schelten? Sie sagen: wenn ich zu einem Kranken käme, so wüßte ich nicht von stundan, was ihm gebreche, sondern ich bedürfte einer Zeit dazu, daß ichs erführe. Es ist wahr. Daß sie es von stundan urteilen, daran ist ihre Torheit schuld, denn wenn es zum Auskehren, das ist Ende, kommt, ist das erste Urteil falsch, und von Tag zu Tag wissen sie je länger je minder, was es ist, und machen sich selber zu Lügnern, – da ich begehr, von Tag zu Tag, je länger je mehr, zur Wahrheit zu kommen. Denn mit den verborgenen Krankheiten ist es nit wie mit dem Erkennen der Farben. Bei den Farben sieht einer wohl, was schwarz, grün, blau usw. ist. Wäre aber ein Umhang davor, wüßtest dus auch nit. Durch einen Umhang sehen braucht Schnaufen, wobei sie noch nie gewesen sind. Was die Augen geben, das ist wohl in der Eil zu urteilen; was aber den Augen verborgen ist, das ist umsonst so vorzubringen, als ob es sichtig wäre. Nehmt euch ein Exempel an einem Bergmann. Er sei so gut, so recht, so kunstreich, so geschickt wie er wolle, wenn er ein Erz das erste Mal sieht, weiß er nit, was es hält, was es vermag, wie mit ihm zu handeln sei, wie es zu rösten, zu schmelzen, abzutreiben, zu brennen sei. Er muß es zuerst durchlaufen lassen, etliche Probierungen und Versuche kosten, und sehen, wo hinaus. Alsdann, wenn ers wohl durch die Reuter gefegt hat, so kann er sich einen bestimmten Weg vornehmen: dahinaus also muß es sein. So ist es auch in den verborgenen langwierigen Krankheiten, daß ein Urteil so schnell nit fallen kann, (es tätens denn die Humoristen). Denn es ist nit möglich, daß ein Hund so bald gefunden wird, oder in einer Küche eine Katze, wieviel minder dergleichen in einem gefährlichen geheimen Handel. Drum, die Dinge zu erwägen, zu ermessen, zu versuchen, so viel dem Versuchen zusteht, ist nit zu verargen, – und alsdann mit der rechten Kunst dran! Da liegt der Butz, da liegt der Schatz, so soll man mit solchen 528 Krankheiten handeln. Aber die Humoristen versuchen nit mit *der* Versuchung, sondern mit den lectorischen Versuchungen und probationibus. Drum entrinnen viel in den Kirchhof, ehe sies, das Urteil, erfahren, und noch, so erfahren sies nit. So also ist ihre Kunst, und eine solche Kunst soll mich beurteilen? Ich kanns nit alles. Was denn können sie, die da meinen, nichts gelte, denn was von der Summen gesund wird. Das ist ihr Avicenna, ihr Rabbi Moises: schnell hindurch, es gehe, wie es gehe. Das sind ihre aphorismi, die sehr schnell im Kirchhof zerbrechen.

Daß ich unmögliche Dinge nit heilen kann, – warum werft ihr mirs in den Bart, wenn ihr das Mögliche nicht heilen könnt?! Und aber verderbts, das ich wieder aufrichten muß? Wie kann ich ein abgehauenes Herz heilen, eine abgehauene Haut ansetzen? Wem im Licht der Natur ist es je möglich gewesen, den Tod und das Leben zusammenzufügen und zu vereinigen, so daß der Tod das Leben empfangen kann? Das ist nit natürlich, aber wohl göttlich. Wie soll ich solches tun, da ihr Wunden, in denen der Tod nicht ist, wenn ihr ihn nicht herzulockt, nicht heilen könnt. Ihr seid weitsichtig, seht in der Weite und euch in der Nähe nit. Ich wills mit eurer Conscienz, das ist Gewissen, beweisen, daß sie euch lehrt und anzeigt, das ihr wider sie tut und handelt, und wollt euch beschönen mit dem, das euch in Schande führt. Denn ihr habt von Gott die Arznei, alle möglichen Dinge mit ihr zu vertreiben, könnts und könnts nicht. Was zeiht ihr dann mich, daß ich in den unmöglichen Krankheiten nichts ausruhten könne, und mir ist zu denselben keine Arznei gegeben noch geschaffen.

Dazu wisset auch den Beschluß dieser Defension! Wie kann ich mögliche Ding heilen, wenn mir der Hagel in die Apotheke schlägt? Wenn der Schauer in die Küche schlägt, wer kann wohl davon essen? Wie kann ein Pelz vor dem Schuß schützen oder ein Harnisch vor der Kälte? Wie kann ich mit Quidproquo, mit dem ihr all eure Kranken verderbt, heilen, und ihr bedürft des Glückes, daß ihr mit dem Quidproquo wohl anfangt und vollendet. Wer kann mit betrügerischer Specerei das ausrichten, das allein der rechten zusteht? Wer kann das vollenden, das er sich vornimmt, wenn es mit grünen Kräutern geschehen soll und man gibt ihm schimmlige. Wer kann leiden, daß man für diagridium, das ist Purgiersaft, succum tithymalli, das ist Wolfsmilchsaft, gebe? Wer kann leiden oder dulden, daß man picem calceatorinam distillatam, das ist destilliertes calceatorinisches Pech, pro oleo benedicto, das ist für Benediktenöl, gebe? Und Kirschenmus mit Thyriac vermischt als ein mithridatum? Und wenn ich eure simplicia und composita, wie es die Notdurft erfordert, aufzählen sollte, wie es um sie steht, wo käme ich damit zu einem Ende?

Damit will ich mich zum letzten defendiert und beschirmt haben, bis auf weitere Reizung, – da wird es alsdann seine Streiche, ob Gott will, auch finden. Will auch hiermit allein gebeten haben: die Frommen und Gerechten

mit der rechten Conscienz wollen sich meines Schreibens nit bekümmern. Denn die Notdurft hats gefordert, sich zu verantworten. Denn Christus hat sich selbst auch verantwortet und nit geschwiegen. Es soll ein jeglicher wissen, daß Verantworten billig sei und sich gebühre, damit diejenigen, die mit Geschwätz sich erhalten und freuen, in ihrem Geschwätz nit gar erstocken und erblinden. Wo ihnen nicht geantwortet würde, da gewönnen sie recht und hielten sich für recht, und es würde noch mehr Irrsal hernach kommen, Unrat, Unfall und Verführung. Drum so ist Antworten so viel, daß je der gegenwärtigen und zukünftigen Verführung zuvorgekommen werde, und offenbar mache, was die Schreier sind. So, auf solchen Grund, hat es mich gefreut zu antworten, und mich vor den allen, deren Herz voll Unlust steckt, zu beschirmen, damit wir auf beiden Seiten offenbar würden. Denn Not ist, daß Laster kommen; wehe aber dem, durch den sie kommen. Das ist so viel gesagt: not ists, daß die Lügner wider die Wahrheit reden; wehe aber ihnen, denn die Wahrheit bringt die Lügen an den Tag. Wenn sie ihres Lasters schweigen, so schwiege die Wahrheit auch. Aber darum, weil es not ist, soll und kann die Lüge und das Laster nit schweigen, es
530 muß herfür.

Weh aber ihnen. Du Leser aber sollst alle Dinge gleichmäßig erwägen und ermessen, damit dein Lesen Frucht bringe. Nutz und Gutes.

Beschlußrede

So, Leser, hast du mich in dieser Verantwortung in einigem verstanden, und wohl erkannt, daß ichs zum allermildesten angegriffen habe. Auch kannst du bei dir selbst wohl ermessen, wie leichtfertig und unnütz Leute reden und handeln. Kannst auch wohl bei dir gedenken, daß solches alles nur von Ärzten ausgegangen ist, und daneben erachten, mit was für Leuten die Arznei versorgt sei, wie so ein ungleiches Paar Podalirius und Apollo, und dann die jetzigen sind. Ob nicht die Natur selbst vielleicht ob einem solchen erschrecken möchte. Denn die Natur erkennt ihren Feind, wie ein Hund einen Hundsschlager sehr gut. Es beweist die Hl. Schrift genugsam, mit was Lob die Arznei gepriesen werden soll, und mit was Ehren der Arzt. Es gibts aber die eigene Vernunft, was auf den Hippocratem geredet worden ist, auf Apollinem und Machaonem, welche mit dem rechten Geist der Arznei kuriert, prodigia, signa und opera hervorgebracht haben, und als Lichter in der Natur erschienen. Das kann ich in meinem einfältigen Kopfe wohl verstehen, daß die Hl. Schrift nit auf die, so ohne Werk sind, geredet hat, auf die clamanten, das sind Schreier, und auf die mercenarios, das sind Mietlinge, sondern auf die, die in die Machaonischen Fußstapfen getreten sind. Es ist in den vorhergehenden Schriften gut zu erkennen, daß

Mühe und Arbeit auf Erden sei. Ich erdachte aber, wenn eine Obrigkeit wohl gelernt hätte, die Dinge zu erkennen, und wäre auch im selbigen Spital krank gelegen, man würde um der Liebe des Nächsten willen ein freundlicheres Aufsehen haben. Die löbliche Landschaft in Kärnten hats in ihr Gemüt gefaßt und vertritt Mecaenatem und gibt asylum Hippocraticorum, zu unsern Zeiten in Schirm und Schutz. Damit verleihe Gott Vergeltung, Fried und Einigkeit. Amen. 531

Biographie

1493 *11. November (?):* Der spätere Paracelsus wird als Philipp Aureolus Theophrast Bombast von Hohenheim in Einsiedeln (Schweiz) als Sohn eines Arztes geboren.

1500 Nach dem Tod der Mutter geht der Vater als Stadtarzt nach Villach in Kärnten. Paracelsus erhält von ihm den ersten Unterricht, u. a. in Alchimie und Botanik.

1517 Nach einem Studium an deutschen, französischen und italienischen Universitäten wird Paracelsus zu Ferrara zum Doktor der Medizin promoviert.

1524 Von Reisen nach Spanien, England, Litauen, Kroatien zurückgekehrt, läßt sich der Arzt in Salzburg nieder. Bald schon muß er die Stadt auf Grund aufrührerischer Umtriebe verlassen.

1526 Paracelsus wird Arzt in Straßburg und erwirbt dort das Bürgerrecht. Mit Erasmus von Rotterdam tritt er in Briefkontakt.

1527 Als Arzt und Professor in Basel schließt er sich an den dortigen Humanistenkreis an. Er hält seine Vorlesungen an der medizinischen Fakultät der Baseler Universität – für seine Zeit untypisch – in deutscher Sprache, wie auch fast alle seine Werke in deutsch geschrieben sind. Für ihn ist die Philosophie eine von vier Säulen der Medizin. Erkannt wird die Natur nur durch eine Kombination von Experiment und Spekulation.
24. Juni: Als Ausdruck seiner Kritik an der noch an der Scholastik orientierten Medizin seiner Zeit wirft Paracelsus ein scholastisches Kompendium ins Baseler Johannisfeuer.

1528 Auf Grund von Anfeindungen seiner Gegner und Streitigkeiten mit dem Rat der Stadt muß er Anfang 1528 Basel verlassen und geht auf Wanderschaft in Süd-Deutschland, Österreich und der Schweiz. Nach der Überlieferung soll Paracelsus in Wien von König Ferdinand I. konsultiert worden sein.

1529 Paracelsus lernt in Nürnberg Sebastian Franck kennen.

1538 Aufenthalt in Kärnten.

1540 Paracelsus wirkt als Arzt in Salzburg.

1541 *24. September:* Paracelsus stirbt in Salzburg.

Lektürehinweis

S. Golowin, Paracelsus im Märchenland, 1980.

Dekadente Erzählungen

Im kulturellen Verfall des Fin de siècle wendet sich die Dekadenz ab von der Natur und dem realen Leben, hin zu raffinierten ästhetischen Empfindungen zwischen ausschweifender Lebenslust und fatalem Überdruss. Gegen Moral und Bürgertum frönt sie mit überfeinen Sinnen einem subtilen Schönheitskult, der die Kunst nichts anderem als ihr selbst verpflichtet sieht.

Rainer Maria Rilke Die Aufzeichnungen des Malte Laurids Brigge **Joris-Karl Huysmans** Gegen den Strich **Hermann Bahr** Die gute Schule **Hugo von Hofmannsthal** Das Märchen der 672. Nacht **Rainer Maria Rilke** Die Weise von Liebe und Tod des Cornets Christoph Rilke

ISBN 978-3-8430-1881-4, 412 Seiten, 29,80 €

Erzählungen aus dem Sturm und Drang

Zwischen 1765 und 1785 geht ein Ruck durch die deutsche Literatur. Sehr junge Autoren lehnen sich auf gegen den belehrenden Charakter der - die damalige Geisteskultur beherrschenden - Aufklärung. Mit Fantasie und Gemütskraft stürmen und drängen sie gegen die Moralvorstellungen des Feudalsystems, setzen Gefühl vor Verstand und fordern die Selbstständigkeit des Originalgenies.

Jakob Michael Reinhold Lenz Zerbin oder Die neuere Philosophie **Johann Karl Wezel** Silvans Bibliothek oder die gelehrten Abenteuer **Karl Philipp Moritz** Andreas Hartknopf. Eine Allegorie **Friedrich Schiller** Der Geisterseher **Johann Wolfgang Goethe** Die Leiden des jungen Werther **Friedrich Maximilian Klinger** Fausts Leben, Taten und Höllenfahrt

ISBN 978-3-8430-1882-1, 476 Seiten, 29,80 €

Erzählungen aus dem Sturm und Drang II

Johann Karl Wezel Kakerlak oder die Geschichte eines Rosenkreuzers **Gottfried August Bürger** Münchhausen **Friedrich Schiller** Der Verbrecher aus verlorener Ehre **Karl Philipp Moritz** Andreas Hartknopfs Predigerjahre **Jakob Michael Reinhold Lenz** Der Waldbruder **Friedrich Maximilian Klinger** Geschichte eines Teutschen der neusten Zeit

ISBN 978-3-8430-1883-8, 436 Seiten, 29,80 €

Lightning Source UK Ltd.
Milton Keynes UK
UKHW050056160920
369915UK00023B/680